Victor Hugo

aux Iles de la Manche
in the Channel Islands

Victor Hugo

by
Gregory Stevens Cox, MA(Oxon), Ph.D.

Toucan Press, Guernsey 2010.

BIBLIOGRAPHIE

Alfred BARBOU – *Victor Hugo and his time*. London, Sampson Low, 1882.

A.D. CHAUVEL and M. FORESTIER – *The Extraordinary House of Victor Hugo in Guernsey*. Guernsey, Toucan Press, 1975.

P. CLEMENT-JANIN – *Victor Hugo en exil, d'après sa correspondance avec Jules Janin*. Paris, ed. du Monde Nouveau, 1922.

Jean DELALANDE – *Victor Hugo à Hauteville-House*. Paris, Albin Michel, 1947.

Pierre DHAINAUT – *La Demeure Océan de Victor Hugo*. Paris, Encre, 1980.

Bernard GROS – *Victor Hugo le visionnaire de Guernesey*. Paris, Retz, 1975.

Henri GUILLEMIN – *Hugo et la sexualité*. Paris, Gallimard, 1954.

Louis GUIMBAUD – *Victor Hugo et Juliette Drouet*. Paris, Auguste Blaizot, 1914.

Hubert JUIN – *Victor Hugo*. Paris, Flammarion, 1986.

Gustave LARROUMET – *La Maison de Victor Hugo – impressions de Guernesey*. Paris, H. Champion, 1895.

Juana LESCLIDE – *Victor Hugo intime*. Paris, Felix Iuven, 1902.

Maurice LEVAILLANT – *L'oeuvre de Victor Hugo. Poésie. Prose. Théâtre*. Paris, Librairie Delegrave, 1931.

André MAUROIS – *Victor Hugo and his world*. London, Thames and Hudson, 1966.

Gérard POUCHAIN – *Promenades dans l'Archipel de la Manche avec un guide nommé Victor Hugo*. Condé-sur-Noireau, ed. Charles Corlet, 1985.

Robert SABOURIN – *Hauteville House, Maison de Victor Hugo*. Rennes, Ouest-France, 1983.

David SHAYER – *Victor Hugo in Guernsey*. Guernsey, Toucan Press, 1987.

Paul STAPFER – *Victor Hugo à Guernesey*. Paris. Société française d'imprimerie et de librairie (Lecène), 1905.

Philip STEVENS – *Victor Hugo in Jersey*. Chichester, Phillimore, 1985.

René WEISS – *La Maison de Victor Hugo à Guernesey*. Paris, Imprimerie nationale, 1928.

I would like to thank:

The librarians and staff of the Guille-Allès Library and the Priaulx Library, St Peter Port;

The British Library for permission to reproduce the "Topographical Chart of the Islands Guernsey, Jersey, Alderney, Sark and Herm with the adjacent Rocks, Shoals and Passages – Published by Wm. Faden, No. 5, Charing Cross, London, August 12th, 1816";

Miss Lucy Allchurch, assistant curator, Jersey Museums Service, for helpful advice;

Mr Peter Sarl, Director of the Guernsey Museums Service, for permission to photograph at Castle Cornet;

Mrs Rosemary Naftel, for permission to reproduce several photographs;

Mrs Trevor, for permission to reproduce the Tapner poster;

Mr Dennis Balls, for helpful advice;

Mrs Gull, Mrs Higgs and Mr Rankilor, for help with the computer;

Mrs Jenny Cottell, who deciphered my manuscript;

Mrs Monique Shepherd, who corrected the French text (any remaining errors are mine alone);

Roger Lister and Brian Clegg, for much good advice;

James Stevens Cox, who encouraged me;

Andrew Stevens Cox, for two photographs.

Victor Hugo employa la carte topographique des îles de la Manche imprimée sur les pages de garde.
Voyez J. Delalande, *Victor Hugo à Hauteville House*, Paris, 1947, p151.

Victor Hugo used the chart of the Channel Islands reproduced on the end papers.
See J. Delalande, *Victor Hugo à Hauteville House*, Paris, 1947, p151.

Back cover: Victor Hugo descending stairs at Hauteville House
(after an early reproduction of a painting by Georges).

CONTENTS

INTRODUCTION

La jeunesse de Victor Hugo

Victor Hugo naquit le 26 février 1802, troisième fils de Léopold Hugo, officier d'armée, et de sa femme (née Sophie Trébuchet). Tout jeune garçon, son ambition était de devenir un auteur célèbre. A l'âge de trente ans il avait déjà beaucoup écrit. Grâce à sa pièce *Hernani* et à son roman *Notre Dame de Paris* il devint chef du mouvement romantique.

Hugo s'intéressait beaucoup aux affaires politiques. Quand une faction agissant pour Louis-Napoléon monta un coup d'état en 1851, Hugo prit sa place sur les barricades pour défendre le libéralisme et la démocratie. Par conséquent, il dut s'enfuir de la France. Il passa quelques mois d'exil en Belgique mais la publication de son oeuvre satirique *Napoléon le petit* en 1852 rendit la situation de l'auteur et de sa famille assez dangeureuse. En août la famille Hugo arriva par différents chemins aux Iles de la Manche.

Exil à Jersey

A Jersey Hugo loua une maison isolée, nº 3 Marine Terrace. Sa maîtresse, Juliette Drouet, le suivit en exil et logea dans un appartement. Pendant son séjour à Jersey (1852 - 1855) Hugo écrivit *Les Châtiments*, *Les Contemplations*, *La Fin de Satan* et *Dieu*. La famille Hugo s'adonnait à la photographie, aux séances de spiritisme et aux conversations avec les autres exilés qui habitaient Jersey en ce temps-là. Le 10 octobre 1855 un de ces exilés, Felix Pyatt, publia une lettre critique addressée à la reine Victoria dans l'hebdomadaire *L'Homme* (rédigé par Ribeyrolles et publié par Leroux à St-Hélier). Les Jerriais s'indignèrent contre cet affront et les autorités expulsèrent Ribeyrolles ainsi que deux autres proscrits. Hugo exprima sa solidarité avec les expulsés et invita son expulsion; les autorités le prirent au mot. La famille Hugo déménagea à Guernesey.

Exil à Guernesey

Arrivé à St Pierre Port Hugo logea à l'Hôtel de l'Europe pendant quelques jours et au no. 20 d'Hauteville Street pendant quelques mois; puis il demeura au no. 38 d'Hauteville Street pendant quatorze ans (1856-1870). Hugo acheta cette maison – Hauteville House – et en devenant propriétaire il évita tout danger de se faire expulser de l'île.

<<A Marine Terrace ... Victor Hugo campa plutôt qu'il n'habita. A Guernesey ... il voulut s'établir solidement ... Ce logis familier, il l'orna selon son goût, le façonna, l'ajusta suivant les caprices de son autorité souveraine, l'enrichit comme un poème, le para de tous les coloris, le peupla d'étoffes, de tableaux, de livres, d'objects imaginés, exécutés par lui seul>> (Weiss).

Au commencement de son exil Hugo était entouré de sa famille – Adèle sa femme, Adèle sa fille, Charles et François-Victor ses fils et Auguste Vacquerie, beau-frère de sa fille morte noyée. Plus le temps passait, plus sa famille s'absentait de Guernesey. Hugu prenait régulièrement des vacances sur le continent (en Belgique, en Allemagne et en Suisse); Hauteville House resta sa demeure jusqu'en 1870. Il revint à Guernesey trois fois après 1870: d'août 1872 à juillet 1873; pour une semaine en avril 1875; et pour deux mois en 1878. Napoléon III déclara une amnistie en août 1859 mais Hugo refusa d'en profiter. <<Quand la liberté rentrera, je rentrerai>> dit-il. Comme exilé Hugo avait un prestige moral dans le monde politique. Il encourageait Garibaldi; il protestait contre le peine de mort; il demandait la grâce des condamnés; il luttait toujours pour les opprimés. La voix de Guernesey résonnait dans le monde entier.

Hugo travaillait chaque matin; l'après-midi il se promenait. Il visitait très souvent Juliette Drouet. Cependant, Hugo n'était pas un amant fidèle. Il y avait beaucoup d'aventures avec les domestiques d'Hauteville House. <<Les agendas dès qu'il s'agit des rencontres, des étreintes ou des baisers furtifs, adoptent un langage codé: ils disent tout cependant. Les servantes d'Hauteville-House n'étaient pas toutes anglaises et prudes ... les petites chambres près de la sienne leur étaient reservées>> (P. Dhainaut).

C'est pendant les années passées à Guernesey que Victor Hugo écrivit plusieurs de ses plus grands oeuvres: *La Légende des siècles*, *Les Travailleurs de la mer*, *L'Home qui rit*. C'est à Guernesey qu'il acheva *Les Misérables*; et il retourna sur l'île

en 1872 cherchant la tranquillité nécessaire pour écrire le roman *Quatrevingt-treize*. Hugo trouva l'inspiration pour ses oeuvres dans les Iles de la Manche. Son roman *Les Travailleurs de la mer* abonde de détails sur l'archéologie et l'histoire de Guernesey. Hugo se réjouissait des mots du patois insulaire et il s'en servit même dans le roman *Quatrevingt-treize*. Grâce à l'exil Hugo developpa son art: <<Que l'on compare ses oeuvres antérieures à 1852 et celles qui suivirent cette date; on verra que le Hugo penseur et mage, s'il était en germe avant l'exil, ne s'est développé que pendant l'exil et, probablement, ne se serait pas developpé sans lui>> (G. Larroumet).

Victor Hugo sur le balcon de sa maison – "Hauteville House", Guernesey
Victor Hugo on the balcony at "Hauteville House", Guernsey

Jeanne - Victor - Georges

INTRODUCTION

Early life

Victor Hugo was born on 26 February 1802, the third son of Leopold Hugo, an army officer, and his wife (née Sophie Trébuchet). As a child he had ambitions of becoming a famous author; by the age of thirty he had already written much prose and poetry. Thanks to his play *Hernani* and his novel *Notre Dame de Paris* he was established as leader of the Romantic movement.

Hugo took an interest in political affairs. When a faction on behalf of Louis-Napoleon staged a putsch in 1851, Hugo took his place at the barricades in defence of liberalism and democracy. As a consequence he had to flee from France. He spent several months in exile in Belgium but the publication of his satirical work *Napoléon le petit* (1852) made the situation of the writer and his family dangerous. In August 1852 the Hugo family travelled by different routes to the Channel Islands.

Exile in Jersey

In Jersey Hugo rented an isolated house, no 3 Marine Terrace. His mistress, Juliette Drouet, followed him into exile and stayed in a flat. During his years in Jersey (1852-1855) Hugo wrote *Les Châtiments*, *Les Contemplations*, *La Fin de Satan* and *Dieu*. The Hugo family busied itself with photography, spirit seances, and conversations with the other exiles who were living in Jersey at that time. On 10 October 1855 one of these exiles, Felix Pyatt, published in the weekly paper *L'Homme* (edited by Ribeyrolles and published by Leroux in St Helier) a critical letter addressed to Queen Victoria. The Jersey people were indignant at this insult and the authorities expelled Ribeyrolles and two others. Hugo expressed his solidarity with the banished men and invited his own expulsion; the authorities took him at his word. The Hugo family moved to Guernsey.

Exile in Guernsey

On arriving in St Peter Port Hugo lodged at the Hotel de l'Europe for some days; he lived at no 20 Hauteville Street for several months (1855-1856); and then he lived at no 38 Hauteville Street for fourteen years (1856-1870). Hugo bought this house – Hauteville House – and as a house-owner he acquired immunity from the risk of being banished from the island.

"At Marine Terrace ... Victor Hugo camped rather than lived. In Guernsey ... he wanted to establish himself solidly. He decorated this homely dwelling according to his taste, he fashioned and arranged it following the whims of his own will, he embellished it as if it were a poem, he decked it with every hue, he stocked it with textiles, pictures, drawings, books, imaginative works – all made by himself alone" (Weiss).

At the beginning of his exile Hugo was surrounded by his family – Adèle his wife, Adèle his daughter, Charles and François-Victor his sons and Auguste Vacquerie, the brother-in-law of Hugo's daughter Leopoldine (who had died in a tragic boating accident). As the years passed, his family spent less and less time in Guernsey. Hugo regularly took holidays on the continent (in Belgium, Germany and Switzerland) but Hauteville House was his home until 1870. He returned to Hauteville House on three occasions after 1870 (from August 1872 to July 1873; for a week in April 1875; and for two months in 1878). Napoleon III offered an amnesty in August 1859 but Hugo refused to avail himself of it. "When freedom returns I shall return" he said. As an exile Hugo enjoyed moral prestige throughout the political world. He encouraged Garibaldi; he protested against the death penalty; he demanded pardon for condemned men; and he always struggled on behalf of the oppressed. The voice of Guernsey echoed around the whole world.

Hugo used to work every morning; in the afternoons he went for walks. He visited Juliette Drouet very frequently. However, Hugo was not a faithful lover. There were many adventures with the servants at Hauteville House. "When dealing with encounters, embraces or secret kisses his diaries are in code: however, they tell all. The servants at Hauteville House were not all English and prudish: the small rooms near his bedroom were reserved for them" (P. Dhainaut).

It was during the years spent in Guernsey that Victor Hugo wrote several of his greatest works: *La Légende des siècles*, *Les Travailleurs de la mer*, *L'Homme qui rit*. It was in Guernsey that he completed *Les Misérables*; and in 1872 he returned to the island to find the peace that he needed to write *Quatrevingt-treize*. Hugo found inspiration for his works in the Channel Islands. His novel *Les Travailleurs de la mer* ("Toilers of the Sea") is full of details about the archaeology and history of Guernsey. Hugo found delight in the vocabulary of the Guernsey patois and used some patois words, even in his novel *Quatrevingt-treize*. Exile gave Hugo the opportunity to develop as an author. "If you compare his works before 1852 with those written after that date, you will see that Hugo the thinker and magus, if in embryo before his exile, only developed *during* the exile and probably would not have developed *without* it" (G. Larroumet).

Victor Hugo and his family at Hauteville House, Guernsey 187...

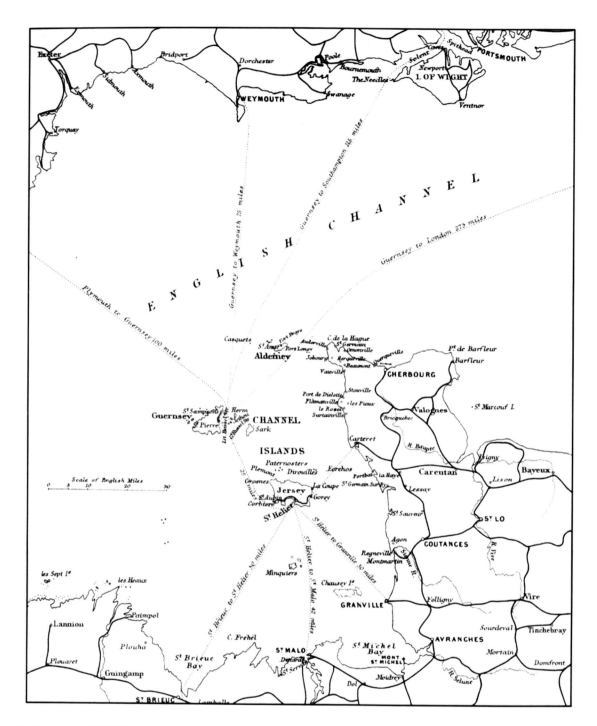

LES ILES DE LA MANCHE

    Les îles de la Manche sont des morceaux de France tombés dans la mer et ramassés par l'Angleterre ... Des quatre îles, Serk, la plus petite, est la plus belle; Jersey, la plus grande, est la plus jolie; Guernesey, sauvage et riante, participe des deux ... Jersey a cinquante-six mille habitants, Guernesey trente mille; Aurigny quatre mille cinq cents; Serk six cents; Li-Hou un seul ...

    C'est là un noble petit peuple, grand par l'âme. Il a l'âme de la mer. Ces hommes des îles de la Manche sont une race à part. Ils gardent sur <<la grande terre>> on ne sait quelle suprématie; ils le prennent de haut avec les anglais, disposés parfois à dédaigner <<ces trois ou quatre pots de fleurs dans cette pièce d'eau>>. Jersey et Guernesey repliquent: *Nous sommes les normands, et c'est nous qui avons conquis l'Angleterre.* On peut sourire, on peut admirer aussi. (V. Hugo, *L'Archipel de la Manche*, 1883).

THE CHANNEL ISLANDS

    The Channel Islands are fragments of France that fell into the sea and were gathered up by England ... Of the four islands Sark, the smallest, is the most beautiful; Jersey, the largest, is the prettiest; Guernsey, wild and charming, shares their characteristics ... Jersey has fifty six thousand inhabitants, Guernsey thirty thousand; Alderney has four thousand five hundred; Sark six hundred; Lihou has just one inhabitant ...

    There dwells there a noble race, small yet great in spirit. They have the spirit of the sea. These Channel Islanders are a race apart. They maintain a certain superiority over the mainland; they are haughty with the English who are sometimes inclined to patronise "these three or four flower-pots in this stretch of water". Jersey and Guernsey retort: "We are Norman, it is we who conquered England." You can smile, but you can admire as well.

JERSEY

VH trouva son lieu d'exil assez agréable:

Cette île est charmante, la mer et les rochers sont magnifiques, j'admire tout cela. (V. Hugo, *lettre à Hetzel, le 15 août 1852*).

S'il y avait de beaux exils, Jersey serait un exil charmant. C'est le sauvage et le riant mariés au beau milieu de la mer dans un lit de verdure de huit lieues carrées. (V. Hugo, *lettre à Charras, le 29 août 1852*).

L'île est charmante et superbe; on voit à l'horizon la France comme un nuage et l'avenir comme un rêve. (V. Hugo, *lettre à Mme de Girardin, le 5 septembre 1852*).

Oh! laissez! laissez-moi m'enfuir sur le rivage!
Laissez-moi respirer l'odeur du flot sauvage!
Jersey rit, terre libre, au sein des sombres mers;
Les genêts sont en fleur, l'agneau paît les prés verts;
L'écume jette au sol ses blanches mousselines;
Par moment, apparaît, au sommet des collines,
Livrant ses crins epars au vent apre et joyeux,
Un cheval effaré que hennit dans les cieux!
(V. Hugo, Les Châtiments, VI-5)

Néanmoins, l'exil était pénible:
Tout s'est-il envolé? Je suis seul, je suis las;
J'appelle sans qu'on me réponde;
O vents! ô flots! ne suis-je aussi qu'un souffle,
                                        hélas!
Hélas! ne suis-je aussi qu' une onde?
(V. Hugo, *Les Contemplations, Paroles sur la dune, 5 août 1854, <<anniversaire de mon arrivée à Jersey>>*).

JERSEY

Hugo's impressions of Jersey were favourable:
This island is charming, the sea and rocks are magnificent, I admire all that.
If there were fine places of exile, Jersey would be a charming exile. It is wilderness and laughter married together right in the middle of the sea on a bed of green eight leagues square.
The island is charming and superb; on the horizon France appears like a cloud and the future like a dream.

Oh! Let me, let me flee to the coast!
Let me breathe the scent of the wild wave!
The free land of Jersey laughs in the bosom of dark seas;
The broom is in flower, the lamb grazes the green meadows;
The foam casts its white muslin fabric over the rocks;
On the ridge of the hills appears, now and then,
A frightened horse, whinnying in the skies,
Offering its dishevelled hair to the biting, joyful wind!

Nevertheless, exile was a torment:
Has all gone? I am alone, I am weary;
    I call and there is no reply;
O winds! O waves! Am I not also but a breath, alas!
    Alas! Am I not also but a wave?

LA VIE DANS UN TOMBEAU

VH décrit sa demeure à Jersey - no 3, Marine Terrace, St. Clement's:

(Cette) maison, d'aspect mélancolique en toute saison, devenait particulièrement sombre à cause de l'hiver qui commençait ... La maison, qui avait une terrasse pour toit, était rectiligne, correcte, carrée, badigeonnée de frais, toute blanche. C'était du méthodisme bâti. Rien n'est glacial comme cette blancheur anglaise. Elle semble vous offrir l'hospitalité de la neige ...

La façade sud de la maison donnait sur le jardin, la façade nord sur une route déserte.

Un corridor pour entrée, au rez-de-chaussée, une cuisine, une serre et une basse-cour, plus un petit salon ayant vue sur le chemin sans passants et un assez grand cabinet à peine éclairé; au premier et au second étage, des chambres, propres, froides, meublées sommairement, repeintes à neuf, avec des linceuls blancs aux fenêtres. Tel était ce logis. Le bruit de la mer toujours entendu.

Cette maison, lourd cube blanc à angles droits, choisie par ceux qui l'habitaient sur la désignation du hasard, parfois intentionnelle peut-être, avait la forme d'un tombeau. (V. Hugo, *William Shakespeare I, i*).

3, Marine Terrace, St Clement's, Jersey

Pier Heads, Victoria Harbour
ST HELIERS, JERSEY

Marine Terrace
La chambre à coucher de Victor Hugo
Victor Hugo's bedroom

LIVING IN A TOMB

Hugo describes his home in Jersey – no 3, Marine Terrace, St Clement's:

This house had a melancholy appearance in every season but was becoming particularly dismal because of the approaching winter ...
The house had a flat roof and was rectilinear, correct, square, newly distempered, white all over. It was built methodism.
Nothing is as icy as that English whiteness. It seems to offer you the hospitality of snow ...
The south side of the house overlooked the garden, the north gave onto an empty road.
A corridor for entrance, on the ground floor, a kitchen, conservatory and a yard, together with a small drawing room which overlooked the deserted road, and quite a big dark room.
On the first and second floors some bedrooms, clean, cold, barely furnished, newly repainted, with white sheets at the windows.
Such was this lodging. The sound of the sea was always audible.
This house, a heavy white cube with right angles, selected by its inhabitants at the dictate of chance (sometimes intentional perhaps), had the shape of a tomb.

Des annonces dans l'hebdomadaire *L'Homme* (publié à St-Hélier)
Notices in the weekly paper *L'Homme* (published in St Helier)

A GUERNESEY

Hugo et sa famille quittèrent leur exil à Jersey pour retrouver l'exil à Guernesey à la fin du mois d'octobre, et au commencement du mois de novembre, 1855. Le carnet de VH décrit son voyage:

31 octobre 1855. - Parti de Jersey à 7 h. ¼ du matin. Arrivé à Guernesey à 10 h. Mer grosse. Pluie. Rafales. Jersey rocher, puis nuage, puis ombre, puis rien. Abordage difficile. Vagues énormes. Petites barques surchargées d'hommes & de bagages. Foule sur le quai. Les proscrits Bachelet, Dessaigne, Thomas, Fruchard, &c. - Le consul (le Laurent d'ici en cravate blanche). Toutes les têtes se sont découvertes quand j'ai traversé la foule. La réception n'est pas de mauvais augure. Victor est avec moi.

Prix: voyage-passage (5f.) 4 pers	20 fr.
Débarquement: aux marins	2 60
Bateau 6 pences par personne (4 p)	2 50
Bateau-effets (15 colis plus mon sac)	6 25
Haquet-effets	6 25

Logé avec Victor (*son fils*) à l'*Hôtel de l'Europe* (Chambres 16 & 17)

Convenu que je paierai 5 fr. par personne par jour tout compris. -

J'engage Victor à ne pas faire d'extra. Il y aura cependant pour le premier jour café & billard à payer. (V. Hugo, *Carnet, année 1855*).

DISPATCH PASSING CORBIERE, JERSEY

Le vaisseau <<Dispatch>> par grosse mer près de la côte de Jersey.
Charles Hugo voyagea sur ce vaisseau le 2 novembre 1855.
The vessel *Dispatch* in heavy seas off the Jersey coast.
Charles Hugo travelled on this boat on 2 November 1855.

TO GUERNSEY

Hugo and his family made their ways from exile in Jersey to exile in Guernsey at the end of October, and in early November, 1855. Hugo's notes record his passage:

31 October 1855. - Left Jersey at 7.15 a.m. Arrived in Guernsey at 10 a.m. Heavy sea. Rain. Squalls. Jersey - rock, then cloud, then darkness, then nothing. Difficult landing. Huge waves. Small boats loaded with men and luggage. Crowd on the quay. The proscribed - Bachelet, Dessaigne, Thomas Fruchard, etc. - The consul (the Laurent from here, wearing a white cravat). All the heads were bared as I made my way through the crowd. The reception is not a bad omen. Victor is with me.

Cost: crossing (5 francs) 4 people .... 20.00 francs
Landing: to sailors 2.60
Boat, 6d person (4 people) 2.50
Boat, belongings (15 parcels and my bag) 6.25
Dray – belongings 6.25
Lodging with Victor (*his son*) at the Hotel de l'Europe (rooms 16 & 17)
Agreed that I shall pay 5 francs per person per day, everything included. - I urge Victor that there should be no extras. However, there will be coffee and billiards on the first day to pay for.

Une église gothique, des rues vieilles, étroites, irrégulières, fantasques, amusantes, coupées d'escaliers, grimpant et dégringolant, les maisons les unes sur les autres, afin que toutes voient la mer. Et un port tout petit où les navires se tassent, où les vergues des goélettes risquent toujours d'éborgner les fenêtres du quai … (Auguste Vacquerie, cité par Clément-Janin)

St-Pierre-Port

A gothic church, streets ancient, narrow, uneven, odd, amusing, intersected by steps, clambering up and tumbling down, the houses piled on top of one another so that they all have a view of the sea. And a little harbour where the vessels are stacked together, where the yard-arms of the schooners ever risk smashing into the windows that overlook the quay …

DES MEUBLES USES ET FRAPPEMENTS ETRANGES

Bientôt VH déménagea de l'Hôtel de l'Europe et s'installa au n° 20 d'Hauteville Street, maison louée par VH à M. Domaille, propriétaire, pour 768 frs français par an:

Les meubles loués par M. Masters à M. Victor Hugo sont des meubles d'occasion & ont tous servi; plusieurs sont tachés, comme le grand fauteuil rouge; ou usés jusqu' à être troués comme l'étoffe des chaises d'acajou recouvertes de crin noir; la paille de plusieurs chaises est usée; une toilette est fendue (la vaiselle des toilettes n'est pas fournie par M. Masters, ni la toile cirée qui recouvre plusieurs meubles). (V. Hugo, *Carnet, année 1855*).

La maison était hantée; plusieurs fois VH entendit des frappements étranges:

Nuit du 26 au 27 avril [1856]

Au point du jour, je m'éveille. Frappements sur mon mur. Il semble que ce soit dans l'étroit espace compris entre mon chevet et la cheminée. Je prie pour les morts, pour les vivants, pour nous, pour Augustine malade. Je me rendors; de temps en temps, je me réveille et j'entends les frappements. Il est évident qu'ils ne discontinuent pas pendant mon sommeil. Pas un souffle de vent. Une serviette pendant en dehors de ma fenêtre ne frissonne même pas.

Le soleil se lève, le coup de canon du fort éclate, un coq chante; tout bruit cesse; les frappements s'évanouissent (V. Hugo, *Choses vues*, année 1856).

SHABBY FURNITURE AND STRANGE TAPPINGS

Victor Hugo soon moved from the Hotel de l'Europe to No 20, Hauteville Street, a house rented from M. Domaille for 768 francs per annum. Hugo recorded in his notebook:

The articles of furniture rented by Mr Masters to M. Victor Hugo are second-hand and used; some are stained, like the big red arm-chair; or are so worn as to have holes, like the fabric of the mahogany chairs renovated with black horse-hair; the straw of several chairs is worn; a washstand is broken (the crockery for the washstands is not supplied by Mr Masters, nor the oil-cloth re-covering several pieces of furniture).

The house was haunted; on several occasions Hugo heard strange sounds:

Night of 26/27 April, 1856

Just before day-break I wake up. Knocks on my wall. It seems this must be in the narrow space between the bed-head and the chimney. I pray for the dead, for the living, for us, for Augustine, the poorly servant. I go back to sleep again; from time to time I wake up and hear the knocks. Clearly they do not stop during my sleep. Not a puff of wind. A towel hanging outside my window makes no movement. The sun rises, the fort gun booms, a cock crows; all noise stops; the knocks go away.

N° 20, à gauche
No 20, on left

VISITE D'UNE PRISON

En 1854 Hugo lança un appel en faveur de Tapner, meurtrier condamné à mort à Guernesey; mais cet appel n'aboutit pas. En décembre 1855 Hugo visita la prison de St-Pierre-Port et prit connaissance des détails de l'exécution de Tapner.

Quand on est dans la cour et qu'on fait à la prison, on remarque que la première à gauche des sept arcades d'en haut est grillée sur la cour et murée sur la galerie. Le petit espace enclos entre ce mur et cette grille était le préau spécial de Tapner. C'est là qu'il allait et venait toute la journée, un peu comme une bête fauve dans une cage ...

C'était le masque de Tapner et la tête de Tapner ... La physiognomie était jeune et grave; les yeux fermés dormaient; seulement un peu d'écume, assez épaisse pour que le plâtre en eût gardé l'empreinte, soulevait un coin de la lèvre supérieure, ce qui finissait par donner à cette face, quand on la regardait longtemps, une sorte d'ironie sinistre. Quoique l'élasticité des chairs eût fait reprendre au cou, au moment du moulage, à peu près la grosseur naturelle, l'empreinte de la corde y était marquée profondément, et le noeud coulant, distinctement imprimé sous l'oreille droite, y avait laissé un gonflement hideux.

Je voulus emporter cette tête. On me la vendit trois francs. (V. Hugo, *Choses vues, Guernesey, 6 - 12 décembre 1855*).

La prison, St-Pierre-Port
The prison, St Peter Port

JOHN CHARLES TAPNER,

AS HE WAS SEEN   THE NIGHT HE COM-
MITTED THE BARBAROUS MURDER OF
MRS. F SAUJON.

Executed February 10, 1854.

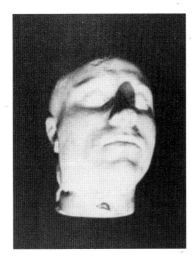

Le masque mortuaire de Tapner
The death mask of Tapner

VISIT TO A PRISON

In 1854 Hugo had intervened on behalf of Tapner, a murderer condemned to death in Guernsey; but the author's appeal was unsuccessful. In December 1855 Hugo visited the prison in St Peter Port and learned details about Tapner's execution.

When you are in the court facing the prison you see that the first on the left of the seven upper arcades is barred towards the court and walled up towards the gallery. The small space between the railing and the wall was the special enclosure of Tapner. There he paced backward and forward all day, a little like a wild beast in a cage ...

These were the mask and head of Tapner ... The physiognomy was youthful and grave; the eyes, shut, were sleeping; only a little foam, sufficiently thick for the plaster to have taken the impression, lifted a corner of the upper lip, which gave the face, when regarded for a long while, a sort of sinister irony. Although the elasticity of the flesh made the neck at the moment of moulding very nearly the natural size, the mark of the cord was plainly visible, and the running knot, distinctly imprinted under the right ear, had left a hideous swelling. I wanted to carry away this head. They sold it to me for three francs.

VICTOR HUGO DEVIENT PROPRIETAIRE

La publication des Contemplations *rendit Hugo prospère. Le 16 mai 1856 il acheta le n° 38 d'Hauteville Street (*"Hauteville House"*) à M. William Ozanne. Pour la première fois de sa vie Hugo devenait propriétaire.*

Hauteville House est un grand bâtiment, dont la porte noire cintrée, avec, en haut, une ouverture de verre faite avec des hublots, est surmontée du nom de la demeure et qui s'ouvre sur la rue par quatorze fenêtres d'aspect anglais. Deux chênes verts, derrière la grille d'entrée, peinte en noir. On ne devinerait pas la maison du poète. Mais, dès que la porte a été poussée, on s'écrierait volontiers qu'on est chez lui et qu'on ne peut être que chez lui. Il semble, dans le clair-obscur de ces corridors, qu'on entre dans quelque demeure abbatiale, ou encore dans le logis de Rembrandt. (J. Claretie, *Le Temps, 13 août 1896*).

76 GUERNSEY. — Saint-Pierre-Port. — Hauteville House.
Maison de Victor Hugo. — St Peter Port. — Hauteville House.
Victor Hugo House. — LL.

Hauteville House, 1995

HUGO BECOMES A HOUSE OWNER

The publication of "Les Contemplations" brought Hugo prosperity. On 16 May 1856 he bought No 38 Hauteville Street ("Hauteville House") from M. William Ozanne. For the first time in his life Hugo was a house-owner.

Hauteville House is a large building; its black, arched doorway with, above, a glass window made with port-holes, is crowned by the name of the house; the building overlooks the road with fourteen English-style windows. Two evergreen oaks stand behind the black railings. You would not guess it's the poet's home. But from the moment that the door is pushed open you would spontaneously exclaim that you are in his home and no one else's. In the *chiaroscuro* of these corridors it seems that we are entering an abbot's dwelling or the house of Rembrandt.

REZ-DE-CHAUSSEE

Le vestibule, coupé par des boiseries de chêne sculpté et éclairé de vitraux en forme d'oeil-de-boeuf, est plongé dans un demi-jour qui en harmonise les richesses ... Du vestibule, passons dans la salle à manger, où les amis du poète se réunissaient deux fois par jour ... Parallèlement à la salle à manger, existe une vaste pièce, assez singulière et inhabitée, dont personne n'a parlé. Elle est visionnée. Elle s'éclaire parfois la nuit, et on y entend parler. (J. Lesclide, *Victor Hugo intime, 1902*).

GROUND FLOOR

The entrance hall, divided by carved oak woodwork and lighted by oval stained-glass windows, exists in a half-light which reconciles the rich hues of the hall ... From the hall, let us go into the dining room, where the poet's friends used to meet twice a day ... Parallel to the dining room there is a large room, quite unusual and inhabited – no-one has discussed it. The room is haunted. Sometimes at night it lights up and the sound of talking is heard.

86 GUERNSEY. — St. Peter Port. — Hauteville House. — The Tapestries
St-Pierre Port. — Maison de Victor Hugo. — La Salle des Tapisseries.

79 GUERNSEY. — St. Peter Port. — Hauteville House. — The Billard Room
Saint-Pierre-Port. — Maison de Victor Hugo. — La Salle de Billard. — LL.

PREMIER ETAGE

Le salon rouge et le salon bleu, tendus de damas cramoisi et d'un tissu de perles de Venise sur lesquelles se jouent de très curieux effets de lumière, et provenant des appartements que la reine Christine de Suède occupa au château de Fontainebleau, forment une galerie dont les parois sont couvertes de tapisseries d'un prix fou: étoffes d'or à dessins d'argent, étoffes d'argent à dessins d'or, recouvrant non seulement les murs, mais les parquets et les plafonds, les corridors et les portes. (J. Lesclide, *Victor Hugo intime, 1902*).

THE FIRST FLOOR

The "red room" and the "blue room" are hung with crimson damask and with material of Venetian pearls, on which curious light effects play (furnishings from the rooms occupied by Queen Christina of Sweden in the Chateau of Fontainebleau). The rooms form a gallery, the partitions of which are covered with fabulously expensive tapestries: golden fabrics decorated in silver, silver fabrics decorated in gold, covering not only the walls but also the floors, ceilings, corridors and doors.

24147 Guernsey. Hauteville House.

24149 Guernsey. Hauteville House.

25

DEUXIEME ETAGE

On y voit un lit de parade dans lequel je ne sais quel grand capitaine s'est endormi de son dernier sommeil. Sur le fronton, se détache une tête de mort en ivoire portant cette inscription: Nox – Mors – Lux. Des bannières religieuses, ornées de broderies exquises, sont appendues aux cloisons. Cette salle renferme des panneaux et des meubles sculptés par le poète lui même. Il est arrivé à de prodigieux effets de décoration en fouillant le bois au fer rouge et en coloriant les creux, obtenus avec une palette éclatante. L'impression produite par ces oeuvres, d'une fantaisie excessive, sombre ou gracieuse, est des plus saisissantes. (J. Lesclide, Victor Hugo intime, 1902).

92 GUERNSEY. — Saint-Pierre-Port. — Maison de Victor Hugo. — La Chambre de Garibaldi.
St Peter Port. — Hauteville House. — Garibaldi's Bed-room — LL.

THE SECOND FLOOR

Here may be seen a state bed in which some great captain fell into his last sleep. On the frontal is a detachable ivory skull bearing the inscription *Nox – Mors – Lux (Night – Death – Light)*. From the partitions hang religious banners decorated with exquisite embroidery. This room contains some panels and furniture carved by the poet himself. He achieved some incredible decorative effects by boring the wood with hot iron and by painting the hollows with a dazzling range of colours. The impression created by these highly imaginative works, grave or graceful, is very thrilling.

TROISIEME ETAGE

C'est dans le <<look-out>> que VH composa la plupart de ses chefs – d'oeuvre.

Et cependant, pensif, j'écris à ma fenêtre,
Je regarde le flot naître, expirer, renaître,
    Et les goëlands fendre l'air.
Les navires au vent ouvrent leurs envergures,
Et ressemblent au loin à de grandes figures
    Qui se promènent sur la mer.
(Victor Hugo, cité par R. Weiss).

Georges Hugo se rappelle son grand-père travaillant dans le look-out:
Il fait si chaud l'été dans le look-out que la peinture s'écaille et que le tain des miroirs fond comme au feu. Le reflet des faïences est aveuglant. Il écrivait tête nue dans cette fournaise, avac tranquillité. Si la chaleur de l'été est sauvage sous ces vitres qui l'exaspèrent, le froid, l'hiver, y est glacial. Sans paletot, tête nue, toujours aussi calme et serein, il écrivait encore. Le vent s'engouffrait par les fenêtres grandes ouvertes. Il était alors en plein ouragon. (Georges Victor-Hugo, *Discours prononcé à Hauteville-House, le 7 juillet 1914*).

82 GUERNSEY. — St Peter Port. — Hauteville House. — The Study
Saint-Pierre Port. — Maison de Victor Hugo. — Le Cabinet de Travail. — LL

28

85 GUERNSEY. — St. Peter Port. — Hauteville House -The Resting Room.
St Pierre Port. — Maison de Victor Hugo. — Chambre de Repos. — LL.

THE THIRD FLOOR

Hugo did most of his writing in the look-out:
And yet, thoughtful, I write by my window,
I watch the tide flood, ebb, flood again,
And the sea-gulls cleave the air.
The ships spread their canvas to the wind,
And in the distance resemble great figures
Walking on the sea.

Georges Hugo recalls his grandfather working in the look-out:
In the summer it is so hot in the look-out that the paint peels and the silver of the mirrors melts as if in the fire. The reflection of the faience is blinding. Bare-headed, he calmly wrote in this furnace. If, beneath these panes, the summer heat is brutal, the cold in winter is icy. Without an overcoat, bare-headed, always just as calm and peaceful, he continued to write away. The wind whistled through the wide-open windows. Then he was in the middle of a hurricane.

LE JARDIN

La salle à manger est éclairée par de larges fenêtres, dans le style anglais, ouvertes sur les profondeurs du jardin où surgissent des aloès, des eucalyptus, un laurier gigantesque et toutes les variétés de fuchsias, plante dont l'île semble la terre natale.

Les fuchsias fleurissent à Guernesey toute l'année, courent en haies le long des chemins, et secouent à toutes les brises leurs clochettes multi-colores.

Au milieu du jardin, s'étale un bassin qu'ornent des têtes de dauphins en terre cuite. Il porte également des inscriptions et on peut lire, en écartant le lierre, d'un côté cette phrase:

<<Où est l'espoir, là est la paix>> et de l'autre, ce vers profond:

Immensité, dit l'être: étrenité, dit l'âme! (J. Lesclide, *Victor Hugo intime, 1902*).

77 GUERNSEY. — St. Peter Port. Hauteville House Garden from
St-Pierre Port. — Maison de Victor Hugo. — Le Jardin. — LL.

THE GARDEN

The dining-room is lit by wide, English-style windows which open onto the depths of the garden where flourish aloes, eucalyptus, a huge laurel and every variety of fuchsia, a plant which seems to be in its native land.

Fuchsias flower in Guernsey all year round, they border the roads as hedges and they shake their many-coloured, bell-shaped flowers in every breeze.

In the middle of the garden stands a pond ornamented with terracotta dolphin heads. It sports inscriptions as well, and by shifting aside the ivy you can read on one side:

"Where there is hope, there is peace" and on the other side this profound line:

Infinity, says existence; eternity, says the soul!

LA VIE EN EXIL – deux vues

Victor Hugo

Je vis ici solitaire, avec ma femme, ma fille et mes deux fils, Charles et François. Quelques proscrits sont venus me rejoindre, et nous faisons une famille ... De temps en temps un ami passe la mer et vient me serrer la main. Ce sont là nos fêtes. J'ai des chiens, des oiseaux, des fleurs. (V. Hugo, *lettre à Octave Lacroix, le 30 juin 1862*).

Madame Hugo

Le déjeuner a lieu à midi, c'est le moment de la conversation, des discussions; chacun dit ce qu'il a amassé dans sa pensée. Charles a la pensée riche, il entre en longs discours avec son père. Nous écoutons. Chacun après va de son côté; mon mari marche, Toto s'habille, c'est le citadin; Adèle fait son piano ou étudie l'anglais; Charles se couche sur un mauvais canapé de cuir et rêve en fumant. Moi, j'embrasse ces grands enfants et tâche que le dîner ne soit pas trop mauvais pour mon mari. S'il y a un rayon de soleil, je vais sur notre terrasse considérer la mer; je pense aux absents, à mon ange d'en haut (*Léopoldine*). Auguste (Vacquerie) s'enferme chez lui pour travailler. (Madame Hugo, *lettre à Jules Janin, 1856; publiée par M. de Montmeyrac, le Figaro, 18 août 1883*).

Madame Hugo (1803-1868)
Comme Mme Hugo s'ennuyait à Guernesey elle visitait souvent Bruxelles et Paris. Elle mourut à Bruxelles.
As Mme Hugo used to get bored in Guernsey she often went to Brussels and Paris. She died in Brussels.

Léopoldine Hugo (1824-1843)
Léopoldine fut noyée à Villequier, ainsi que son mari Charles Vacquerie.
Léopoldine was drowned at Villequier, along with her husband Charles Vacquerie.

Charles Hugo (1826-1871)
Ecrivain et journaliste; auteur de la pièce *Je vous aime*.
Il adapta *Les Misérables* en drame.
Writer and journalist; author of the play *Je vous aime*.
IIe dramatised *Les Misérables*.

Adèle Hugo (1830-1915)
Adèle quitta Guernesey en juin 1863 pour retrouver son
<<fiancé>> Alfred Pinson au Canada. Elle perdit la raison
et passa plus de quarante ans dans une maison de santé en
France.
Adèle left Guernsey in June 1863 to look for her "fiancé"
Alfred Pinson in Canada. She lost her sanity and spent more
than forty years in an asylum in France.

LIFE IN EXILE – two views
Victor Hugo:
I live here alone, with my wife, my daughter and my two sons, Charles and François. Some exiles have come to join up with me and we make a family ... Sometimes a friend crosses the sea and comes to shake hands with me. Those are our holidays. I have dogs, birds, flowers.
Madame Hugo:
Lunch is at noon, the time for conversations and debates; everyone expresses their pent-up thoughts. Charles is a deep thinker and gets into long discussions with his father. We listen. Afterwards everyone goes their own way; my husband goes for a walk, Toto gets dressed up, he's quite a dandy; Adèle practises on the piano or studies English; Charles sprawls on a worn leather sofa and dreams as he smokes. I hug these big children and do my best to see that dinner isn't too horrible for my husband. If there is some sunshine, I go out onto our terrace to gaze at the sea; I think of the absent, of my angel above (*Léopoldine*). Auguste (Vacquerie) closets himself away to work.

EMILY DE PUTRON

François-Victor Hugo rencontra "une jeune et jolie fille" à Guernesey "où toutes les filles sont jolies" (Auguste Vacquerie, lettre à Paul Meurice, le 7 octobre 1856). Cette fille, Emily de Putron, aidait François-Victor dans sa traduction des oeuvres de Shakespeare. Malheureusement Emily était tuberculeuse. Malgré les efforts de sa famille et de la famille de François-Victor, Emily mourut le 14 janvier 1865. Victor Hugo prononça une oraison funèbre le 19 janvier 1865:

Emily de Putron était le doux orgueil d'une respectable et patriarcale famille. Ses amis et ses proches avaient pour enchantement sa grâce, et pour fête son sourire. Elle était comme une fleur de joie épanouie dans la maison. Depuis le berceau, toutes les tendresses l'environnaient; elle avait grandi heureuse, et, recevant du bonheur, elle en donnait; aimée, elle aimait ...

Emily de Putron est allée chercher là-haut la sérénité suprême, complément des existences innocentes. Elle s'en est allée, jeunesse, vers l'éternité; beauté, vers l'idéal; espérance, vers la certitude; amour, vers l'infini; perle, vers l'océan; esprit, vers Dieu. Va, âme! (V. Hugo, *Pendant l'exil*).

Emily de Putron

François-Victor Hugo (1828-1873)

A Guernesey François-Victor se mit à traduire les oeuvres dramatiques de Shakespeare. La traduction fut publiée entre 1859 et 1866.

In Guernsey François-Victor devoted himself to translating the dramatic works of Shakespeare. The translation was published between 1859-1866.

Foulon cemetery, St. Peter Port
La pierre tombale d'Emily de Putron
The tombstone of Emily de Putron.

EMILY DE PUTRON

François-Victor Hugo met a "young and pretty girl" in Guernsey "where all the girls are pretty" (Auguste Vacquerie, letter to Paul Meurice, 7 October 1856). This young lady, Emily de Putron, helped François-Victor in his translation of the works of Shakespeare. Emily was tubercular. Despite the efforts of her family and the family of François-Victor, Emily died 14 January 1865. Victor Hugo delivered a funeral oration on 19 January 1865:

Emily de Putron was the sweet pride of a respectable and patriarchal family. Her friends and relations were enchanted by her grace, treated by her smile. She was like a joyful flower strewn in the house. From the cradle she was surrounded by every tenderness; she grew up happily and, receiving happiness, she returned it; loved, she loved ...

Emily de Putron has mounted on high to seek the supreme happiness, the fulfilment of innocent souls. She has left, youth journeying to eternity; beauty to perfection; hope to certainty; love to infinity; pearl to the ocean; spirit to God. Go, soul!

DES AMIS ET DES ENNEMIS A GUERNESEY

A Guernesey VH était admiré par quelques aristocrates; mais la bourgeoisie avec son étroitesse d'esprit ne l'aimait pas, comme observa, pendant son séjour dans l'île, Paul Stapfer, professeur de français au collège Elizabeth:

Miss Carey admirait passionnément Victor Hugo. Même, je puis presque dire qu'elle l'admirait plus que moi: car son enthousiasme ne faisait aucune réserve.

Il ne faudrait pas s'imaginer qu'un goût vif pour l'auteur de Napoléon le Petit fût la règle dans l'île anglo-normande. L'indifférence et la froideur à l'égard du grand exilé étaient, au contraire, générales, plus encore dans la petite bourgeoisie, extrêmement ignorante, que dans la première caste, souvent très cultivée. Un de mes premiers étonnements fut de constater combien peu on faisait attention à lui. Le cant piétiste et puritain lui était même très décidément hostile, et s'indignait tout bas – ou tout haut – de sa vieille liaison avec <<Madame Drouet>>, malgré l'âge respectable de Juliette et l'extrême réserve de son existence toute retirée. Elle sortait peu de chez elle, et je l'ai rarement recontrée avec Victor Hugo, chez qui elle n'allait guère, mais qui, très méthodiquement, tous les jours, lui faisait visite aux mêmes heures. On reprochait à Hugo son républicanisme, l'excessive liberté de ses paroles et de ses actes à l'égard de toutes les têtes couronnées et, particulièrement, de la reine d'Angleterre.

La fille du baille était fort au-dessus de ces petitesses. Elle personnifiait l'esprit de liberté, de révolution, de progrès, contre la vieille société conservatice, routinière et bornée. Elle comprenait que la vraie gloire de Guernesey, dans l'avenir, serait d'avoir possédé Victor Hugo .... c'est grâce à l'initiative de cette personne d'élite que la meilleure société de l'île assista quelquefois, à Hauteville House, aux petites fêtes des enfants pauvres; c'est le bon exemple donné par cette jeune fille qui épargna au grand poète le chagrin, quand des acteurs en voyage vinrent lui offrir une représentation d'*Hernani*, de voir sa pièce jouée devant des loges vides. (P. Stapfer, *Victor Hugo à Guernesey*).

Paul Stapfer

Elizabeth College

FRIENDS AND FOES IN GUERNSEY

Hugo was admired by some Guernsey aristocrats; but the narrow-minded bourgeoisie disliked him. Paul Stapfer, French master at Elizabeth College, observed this during his stay in Guernsey:

Miss Carey passionately admired Victor Hugo. I can even almost say that she admired him more than I did: for her enthusiasm admitted of no reserve.

It should not be imagined that a lively liking for the author of *Napoléon le petit* was the rule in the anglo-norman island. On the contrary, indifference and coldness towards the great exile were general, more amongst the very ignorant middle class than amongst the upper class which was often very cultured. One of the first things to astonish me was to notice how little attention was paid to him. Religious and puritanical cant was very decidedly hostile to him and was profoundly – or highly – outraged by his long-standing relationship with "Madame Drouet", despite Juliette's respectable age and the utmost discretion of her very private life. She did not often leave her house and I rarely met her accompanying Victor Hugo – to whose home she hardly ever went; but he, very consistently, every day, used to visit her at the same time. People criticised Hugo for his republicanism, for the excessive freedom in his words and deeds addressed to crowned heads and, particularly, the queen of England.

The bailiff's daughter (Miss Carey) was high above these pettinesses. In the face of the ancient conservative society with its routines and restrictions she personified the spirit of liberty, revolution, progress. She understood that in the future the true glory of Guernsey would be to have possessed Victor Hugo ... It was thanks to the initiative of this aristocratic lady that the best society in the island sometimes visited the parties held at Hauteville House for the poor children; when some travelling actors arrived to put on a performance of *Hernani*, it was the good example given by this young lady that spared the great poet the upset of seeing his play performed in front of empty boxes.

GEORGES METIVIER

VH correspondait avec Georges Métivier, poète guermesiais, qui écrivait en patois.

Hauteville house – 18 juin 1866

Je viens de lire, cher Monsier Métivier, les épreuves que vous avez bien voulu m'envoyer. Votre honorable lettre me touche vivement.

Il n'y a pour moi que deux poètes, le poète universel et le poète local. L'un incarne l'idée Humanité, l'autre représente l'idée Patrie. Les deux idées sont saintes. Homére a été l'un, Burns a été l autre.

Quelquefois la patrie, c'est le clocher, le village, le champ; c'est la charrue et la barque, toutes deux nourrices de l'homme. L'idée Patrie, ramenée ainsi à son rudiment, se restreint sans s'amoindrir; pour être moins auguste, elle n'est pas moins touchante, et ce qu'elle perd en majesté, elle le regagne en douceur.

C'est ce clocher rural, c'est ce mélancolique et profond champ des aïeux, c'est le foyer sacré de la famille que je retrouve dans vos vers si savants dans leur naïveté, si gracieux dans leur rudesse. Vous parlez avec un charme pénétrant la bonne vieille langue normande.

Je félicite votre pays de vous avoir. Ce que Burns a été pour l'Ecosse, vous l'êtes pour Guernesey ...

VICTOR HUGO.

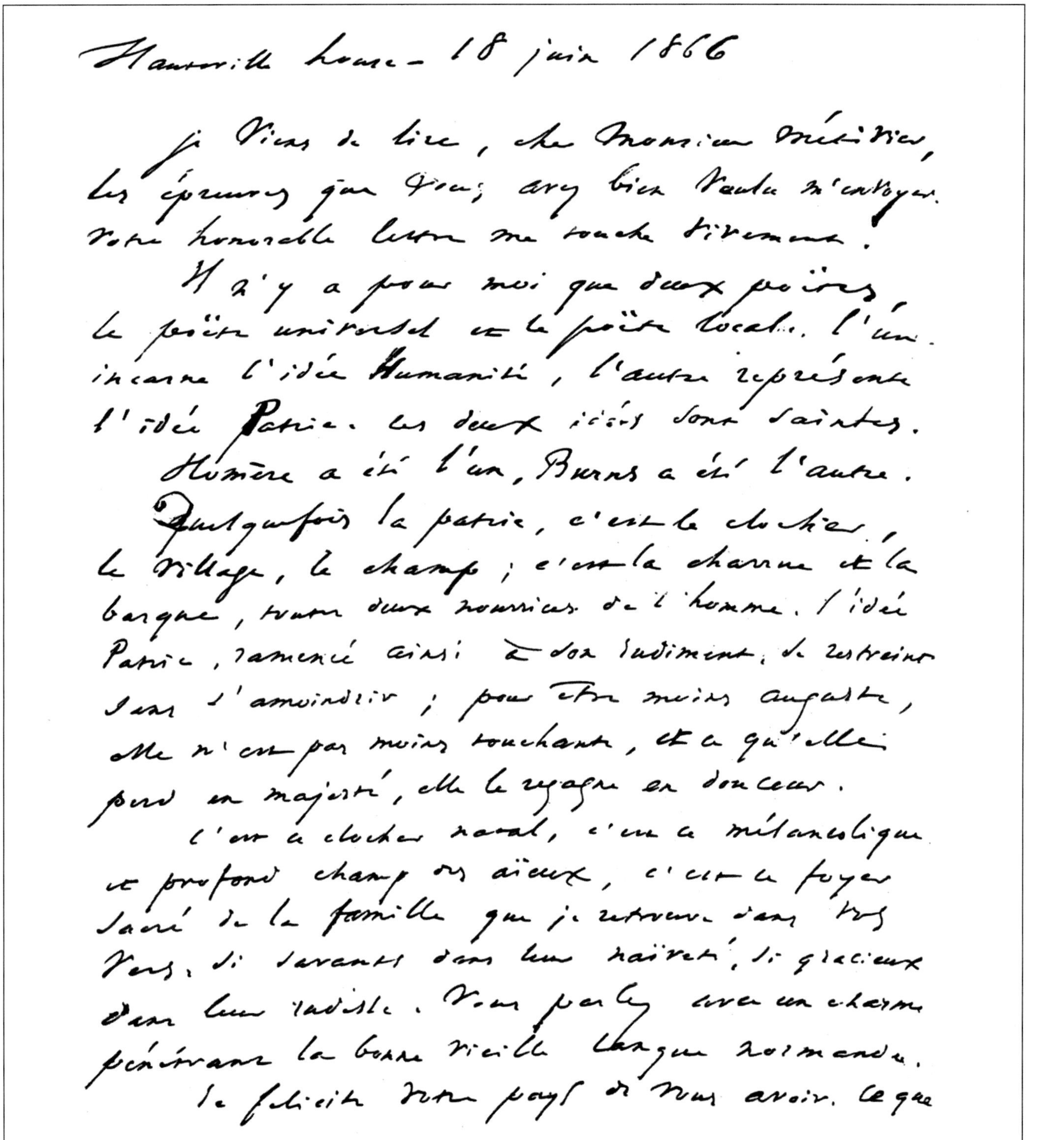

Hauteville house – 18 juin 1866

Je viens de lire, cher Monsieur Métivier,
les épreuves que vous avez bien voulu m'envoyer.
Votre honorable lettre me touche vivement.

Il n'y a pour moi que deux poètes,
le poète universel et le poète local. L'un
incarne l'idée Humanité, l'autre représente
l'idée Patrie. Les deux idées sont saintes.

Homère a été l'un, Burns a été l'autre.

Quelquefois la patrie, c'est le clocher,
le village, le champ ; c'est la charrue et la
barque, toutes deux nourrices de l'homme. L'idée
Patrie, ramenée ainsi à son rudiment, se restreint
sans s'amoindrir ; pour être moins auguste,
elle n'est pas moins touchante, et ce qu'elle
perd en majesté, elle le regagne en douceur.

C'est ce clocher rural, c'est ce mélancolique
et profond champ des aïeux, c'est ce foyer
sacré de la famille que je retrouve dans vos
vers, si savants dans leur naïveté, si gracieux
dans leur rudesse. Vous parlez avec un charme
pénétrant la bonne vieille langue normande.

Je félicite votre pays de vous avoir. Ce que

GEORGES METIVIER

VH corresponded with Georges Métivier, a Guernsey poet who wrote in patois.

Hauteville House – 18 June 1866

Dear M Métivier,

I have just read the proofs that you have kindly sent me. Your gracious letter quite moves me.

For me there are just two poets, the universal poet and the local poet. The one embodies the idea of Humanity, the other represents the idea of Homeland. The two ideas are holy. Homer was one, Burns was the other.

Sometimes homeland means the belfry, the village, the field; it is the plough and the boat, both nurses or men. The concept of Homeland, brought back in this way to its basics, limits itself without diminishing itself; in becoming less august it is not less moving, and what it loses in majesty it wins back in sweetness.

It is the country belfry, it is the deep, sad ancestral field, it is the sacred hearth of the family that I rediscover in your lines, so perceptive in their innocence, so polished in their ruggedness. You speak the fine old Norman language with piercing appeal.

I congratulate your country on possessing you. What Burns was for Scotland, you are for Guernsey ...

AMITIE POUR HENNETT DE KESLER

VH était un bon ami pour les autres exilés, voici comme preuve cette lettre:

Kesler doit 200 liv. st. - Il ne peut payer. Je lui ai écrit hier de donner congé de sa maison et de vendre son mobilier. Avec l'argent de la vente, il amortira la moitié de sa dette. Puis il viendra demeurer chez moi. Il y sera logé, nourri, éclairé, chauffé, défrayé. Il y vivra ainsi tant qu'il voudra, toujours s'il veut, indéfiniment, et, en continuant de donner des leçons, n'ayant plus de dépenses, avec l'argent de ses leçons, il achèvera de payer ses dettes. Je lui ai écrit: *C'est ce que j'offrirais à mon frère. C'est pourquoi je vous l'offre.* De cette façon, ses dettes seront payées, sa vie pacifiée, et sa dignité sauve. Et quand il sera fatigué et voudra se reposer, il le pourra. Il pourra vieillir et mourir en paix chez moi, y étant chez lui.

(V. Hugo, *lettre à Madame Hugo, le 12 décembre 1866*).

Kesler mourut le 6 avril 1870. Hugo fit arranger un enterrement civil au cimetiére du Foulon à St-Pierre-Port et le 7 avril il prononça une oraison funèbre à la mémoire de son ancien ami (qu'il rencontra pour la première fois sur les barricades à Paris le 3 décembre 1851).

... Il a voulu protester jusqu'au bout. Il est resté exilé par adoration pour la patrie. L'amoindrissement de la France lui serrait le coeur. Il avait l'oeil fixé sur ce mensonge qui est l'empire; il s'indignait, il frémissait de honte, il souffrait. Son exil et sa colére ont duré dix-neuf ans. Le voilà enfin endormi. (V. Hugo, *Pendant l'exil, Sur la tombe d'Hennett de Kesler*).

Hennett de Kesler

Foulon cemetery, St. Peter Port
La pierre tombale d'Hennett de Kesler
The tombstone of Hennett de Kesler

FRIENDSHIP FOR HENNETT DE KESLER

Hugo was a staunch friend to other exiles, as the following letter from VH to his wife shows:

Kesler owes £200 - he cannot pay. I wrote to him yesterday telling him to terminate his tenancy and to sell his furniture. With the money from the sale he will pay off half his debt. Then he will come to live at my house. There he will be lodged, fed, given light and warmth, his expenses met. There he will live as long as he wants, always if he wishes, indefinitely, and, by continuing to give lessons and having no expenses, with the money from the lessons he will succeed in paying off his debts. I wrote to him: *It's what I would offer to my brother. That's why I'm offering it to you.* In this way his debts will be paid off, his life made calm, his dignity protected. When he is tired and wants to rest he'll be able. He can grow old and die peacefully in my house, being at home there.

Kesler died on 6 April 1870. Hugo arranged a civil burial at the Foulon Cemetery, St Peter Port, and delivered an oration in memory of his old friend (whom he had first met at the barricades in Paris, 3 December 1851).

... Right to the end he wanted to protest. He remained in exile out of love for his country. His heart was broken by France's loss of prestige. He stared at this lie, the Empire; he got angry, he trembled with shame, he suffered. His exile and his wrath lasted nineteen years. There he rests, at peace at last.

LA VIE QUOTIDIENNE
VH décrit sa vie quotidienne à Paul Stapfer:

- Je me lève, - me dit-il, - de bon matin. J'avale deux oeufs crus et une tasse de café froid; puis, jusqu'à onze heures, je travaille dans mon belvédère ...

A onze heures, étant couvert de transpiration, tant par le feu du travail que par celui d'un poêle qui chauffait sa serre en hiver, il se mettait tout nu et s'épongeait le corps, à l'anglaise, d'une eau très froide qui était restée toute la nuit à l'air. Les personnes qui passaient dans Hauteville Street, à ce moment-là, et qui levaient leurs yeux vers la cage de verre, pouvaient voir la blanche apparition. Une friction énergique avec des gants de crin était le second et indispensable article de ce programme savamment réglé....

Après le déjeuner, promenade de deux heures environ. Reprise du travail jusqu'à six heures et demie. Dîner chez Mme Drouet, excepté quand Mme Victor Hugo venait voir son mari à Guernesey. Partie de cartes jusqu'à dix heures.

- Il m'est arrivé quelquefois - m'a dit ce joueur téméraire - de perdre quinze sous. (Paul Stapfer, *Victor Hugo à Guernesey*).

Hauteville House
"la cage de verre" – "the glass cage"

La peine de mort est élevée à la dignité d'*ultima ratio*. Les races, les couleurs, les partis, se la jettent à la tête et s'en servent comme d'une réplique. Les blancs l'utilisent contre les nègres ; les nègres, représaille lugubre, l'aiguisent contre les blancs. Le gouvernement espagnol fusille les républicains, et le gouvernement italien fusille les royalistes. Rome exécute un innocent. L'auteur du meurtre se nomme et réclame en vain ; c'est fait ; le bourreau ne revient pas de sur son travail. L'Europe croit en la peine de mort et s'y obstine ; l'Amérique se bat à cause d'elle et pour elle. L'échafaud est l'ami de l'esclavage. L'ombre d'une potence se projette sur la guerre fratricide des États-Unis. Jamais l'Amérique et l'Europe n'ont eu un tel parallélisme et ne se sont entendues à ce point ; toutes les questions les divisent, excepté celle-là. tuer ! et c'est sur la peine de mort que les deux mondes tombent d'accord. La peine de mort règne ; une espèce de droit divin de la hache sort pour les catholiques romains de l'Évangile, et pour les protestants virginiens de la Bible. Penn construisait par la pensée, comme trait d'union, un arc de triomphe idéal entre les deux mondes ; sur cet arc de triomphe il faudrait aujourd'hui placer l'échafaud.

Cette situation étant donnée, l'occasion est admirable pour la Belgique.

Un peuple qui a la liberté, doit avoir aussi la volonté. Tribune libre, presse libre, voilà l'organisme de l'opinion complet. Que l'opinion parle ; c'est ici un moment décisif. Dans les circonstances où nous sommes, en répudiant la peine de mort, la Belgique peut, si elle veut, prendre brusquement, elle petit peuple, la tête de la civilisation. Cette noble Belgique, qui est Gaule comme la France, peut magnifiquement affirmer sa nationalité par une exception éclatante, en étant la seule société humaine qui n'ait pas de sang aux mains parmi tous ces gouvernements coupe-têtes.

L'occasion, j'y insiste, est admirable. Car il est évident que, s'il n'y a point d'échafaud pour les criminels du Hainaut, il n'y en aura désormais pour personne, et que la guillotine ne pourra plus germer dans la libre terre de Belgique. Vos places publiques ne seront plus sujettes à cette apparition sinistre. Par l'irrésistible logique des choses, la peine de mort, virtuellement abolie chez vous aujourd'hui, le sera légalement demain.

Il serait beau que le petit peuple fît la leçon aux grands, et, par ce seul fait, fut plus grand qu'eux ; il serait beau, devant la croissance abominable des ténèbres, en présence de la barbarie recrudescente, que la Belgique, prenant le rôle de grande puissance en civilisation, donnât tout à coup au genre humain l'éblouissement de la vraie lumière, en proclamant, dans les conditions où éclate le mieux la grandeur des principes, non à propos d'un dissident révolutionnaire ou religieux, non à propos d'un ennemi politique, mais à propos de neuf misérables indignes de toute autre pitié que de la pitié philosophique, l'inviolabilité de la vie humaine, et en refoulant définitivement vers la nuit cette monstrueuse peine de mort qui a pour gloire d'avoir dressé sur la terre deux crucifix, celui de Jésus-Christ sur le vieux monde, celui de John Brown sur le nouveau.

Que la généreuse Belgique y songe ; c'est à elle, Belgique, que l'échafaud de Charleroi ferait dommage. Quand la philosophie et l'histoire mettent dans la balance une civilisation, les têtes coupées pèsent contre.

En écrivant ceci, je remplis un devoir. Aidez-moi, monsieur, et prêtez-moi, pour ce grand et suprême intérêt, votre publicité.

Veuillez, je vous prie, recevoir l'assurance de ma considération la plus distinguée.

VICTOR HUGO.

DAILY LIFE

Hugo describes his daily routine to Paul Stapfer:
"I rise early. I swallow two raw eggs and a cup of cold coffee; then I work in my look-out until eleven o'clock ..."

At eleven o'clock, covered in sweat, as much from the heat of work as from the stove that heated his "greenhouse" in winter, he stripped stark naked and sponged down his body, in the English fashion, with very cold water that had stood all night in the open air. People who were passing along Hauteville Street at that moment, and who lifted their gaze towards the glass cage, could see the white apparition. An energetic rub-down with hair gloves was the second and indispensable element in this wisely organised programme ...

After lunch, a walk for about two hours. Work resumed until 6.30 p.m. Dinner with Mme Drouet, except when Mme Victor Hugo came to Guernsey to see her husband. Card games until ten o'clock. "Sometimes I have lost 15 sous" this reckless gambler told me.

Les épreuves de la lettre de VH (le 21 janvier 1862) à propos des condamnés de Charleroi. Grâce à cette lettre (publiée dans les journaux anglais et belges) une commutation eut lieu.

Proofs of the letter from VH (21 January 1862) about those condemned to death at Charleroi. Thanks to this letter (published in English and Belgian newspapers) several sentences were commuted.

JULIETTE DROUET

Juliette Drouet habita la maison <<La Fallue>> de 1856 à 1864. De cette maison elle regardait Victor Hugo travailler dans son look-out à Hauteville House. Les amants échangeaient des "signes du réveil" à partir de leur logis. Souvent Juliette écrivait des billets d'amour à son amant:

> Guernesey, 30 octobre 1863, vendredi matin, 7 heures et demie.

Bonjour, bonjour, rebonjour, mon cher petit l'éveillé, vous me paraissez fièrement bien ce matin à en juger d'après l'énergie avec laquelle vous secouez vos puces dans l'espace, aux quatre vents ... J'étais levée avant le canon ce matin et j'avais déjà fait mon opération quand je vous ai aperçu à votre balcon.

Le 16 avril 1864 VH acheta le nº 20 d'Hauteville Street (la maison qu'il avait habitée en 1855-1856).

Le 15 juin 1864 Juliette quitta La Fallue et s'installa au nº 20:

> Guernesey, 15 juin 1864, mercredi, 1 heure et demie après-midi.

Cher adoré, je ne veux pas quitter cette pauvre petite maison, où nous nous sommes aimés pendant huit ans, sans en baiser le seuil avec reconnaissance ... Je voudrais en emporter les murs, contre lesquels tu t'es appuyé, le plancher sur lequel tu as marché et jusqu' à la poussière que tu as dédaignée ...

Juliette Drouet

L'AVENTURE D'ELISA GOUPILLOT

"L'amour pour Juliette n'exclut pas les infidélités" (H. Juin, *Victor Hugo, II, p 566*). *Hugo notait ses aventures en latin et en espagnol:*

16 novembre 1865:	Elle viendra chez moi, à partir du lundi 20. Couchera en haut.
23 novembre:	E.G. Humeri et genua.
24 novembre:	E.G. Esta mañana, todo.
28 novembre:	Élisa Goupillot, la nouvelle servante, a couché pour la première fois dans le cabinet entre la chambre de Julie et la mienne. (V. Hugo, *Carnet*).

La Fallue.

JULIETTE DROUET

Juliette Drouet lived in the house called 'La Fallue' from 1856 to 1864. From this house she could see Victor Hugo working in his look-out at Hauteville House. From their homes the lovers, on waking, exchanged signals. Often Juliette wrote love notes:
Guernsey, 30 October 1863, Friday morning, 7.30 a.m.

Good morning, good morning and again good morning, my dear little leap-out-of-bed, you seem in fine fettle this morning to judge by the energy with which you do your physical jerks... I was up before the cannon signal this morning and I had already attended to my *toilette* when I spied you on your balcony.

On 16 April 1864 VH bought No 20 Hauteville Street (where he had lived in 1855-1856). On 15 June 1864 Juliette left 'La Fallue' and moved into No 20:
Guernsey, 15 June 1864, Wednesday, 1.30 p.m.

Dearly beloved, I do not want to leave this poor little house – where we have loved for eight years – without kissing the threshold with gratitude... I would like to take away the walls against which you have leant, the floor on which you have walked, right to the dust that you have scorned...

ADVENTURE WITH ELISA GOUPILLOT
Hugo's love for Juliette Drouet did not rule out infidelity. Hugo recorded his adventures in French, Latin and Spanish.

16 November 1865:	She will come to my house, provisionally, from Monday 20. She will sleep at the top of the house.
23 November:	E.G. Shoulders and knees.
24 November:	E.G. This morning, all.
28 November:	Elisa Goupillot, the new servant, slept for the first time in the room between Julie's and mine.

UNE LETTRE D'AMOUR à Juliette Drouet

Fermain-bay

20 mai [sans année].

Comment ne pas songer à ta fête qui vient? Voici toute la nature qui se fait belle; la terre est comme une grande fleur verte, la mer est comme une grande fleur bleue, le firmament plein de soleil est comme une grande fleur d'or; un immense souhait de bonheur se dégage de tout; c'est à toi que je l'envoie. Les oiseaux chantent, la grève chante, la plaine et la montagne rient, et je suis là, seul, songeant à toi: et pour moi, dans tout cet infini il y a ta pensée, comme hier soir dans cet immense ciel crépusculaire que nous voyions ensemble, il y avait une toute petite étoile que brillait à elle seule plus que tout le ciel.

Tout à l'heure, venu ici pour travailler, je ne faisais qu'aimer; je me tournais vers toi, et mon âme ne voulait pas se détacher de ton âme ...

Victor Hugo sur la route à Fermain
Victor Hugo on the road to Fermain

A LOVE LETTER to Juliette Drouet
Fermain Bay, 20 May
How avoid dreaming about your approaching birthday? Here all nature is beautiful; the land is like a great green flower, the sea is like a great blue flower, the sun-filled sky is like a great golden flower; a vast hope of happiness comes out of everything; to you I send it. The birds sing, the beach sings, the plain and the hill laugh, and there I am, alone, dreaming of you; and for me, in all this infinity, there is the thought of you, just as yesterday evening in that vast twilight sky that we gazed at together there was a very small star that shone by itself more than the whole sky.
Having come here to work, just now, I did nothing but love; I kept turning towards you and my soul refused to be separated from yours ...

Fermain Bay, Guernsey.

LE BANQUET DES ENFANTS

L'auteur des Misérables *faisait la charité à Hauteville House:*
Toutes les semaines, des mères pauvres me font l'honneur
d'amener leurs enfants dîner chez moi. J'en ai eu huit
d'abord, puis quinze; j'en ai maintenant vingt-deux (1). Ces
enfants dînent ensemble; ils sont tous confondus, catholiques,
protestants, anglais, français, irlandais, sans distinction de
religion ni de nation. Je les invite à la joie et au rire, et je
leur dis: Soyez libres. Ils ouvrent et terminent le repas par un
remercîment à Dieu, simple et en dehors de toutes les formules
religieuses pouvant engager leur conscience. Ma femme, ma
fille, ma belle-soeur, mes fils, mes domestiques et moi, nous
les servons. Ils mangent de la viande et boivent du vin, deux
grandes nécessites pour l'enfance. Après quoi ils jouent et vont
à l'école. Des prêtres catholiques, des ministres protestants,
mêlés à des libres penseurs et à des démocrates proscrits,
viennent quelquefois voir cette humble cène, et il ne me paraît
pas qu'aucun soit mécontent.
(V. Hugo, *Pendant l'exil, Le banquet des enfants, lettre à
l'editeur Castel, le 5 octobre 1862).*
(1) Plus tard le nombre fut porté à quarante.

GAVROCHE ("LES MISÉRABLES")

INDICATIONS POUR MARIE SIXTY – ma cuisinière.
Donner du pain à tous ceux qui en demandent.
Ne donner d'argent qu'après m'en avoir parlé (l'argent devient aisément *gin*).
Me remettre immédiatement toutes les demandes de travail.
Employer de préférence (aux travaux que leur sont possibles) les vieilles gens.
Ne faire acception dans les sécours ni de catholiques ni de protestants.
Donner à tous.
Faire passer, pour les places vacantes au dîner des petits enfants, les plus pauvres les premiers.
Un pain de trois livres toutes les semaines au frère de Virginie, qui est phtisique, & lui donner à souper toutes les fois qu'il
se présente.
Bouillon & viande toutes les semaines au vieux bonhomme (le père Baudoin) qui se dit catholique chez l'abbé Lemenant &
républicain ici. Il a quatrevingts *(sic)* ans.
Payer l'huile de foie de morue aux petits enfants scrofuleux qui en ont besoin (sur le certificat du médecin) 5 francs par
semaine à la vieille qui se dit centenaire. (Elle se vante.) 15 par mois à la veuve Ledon.
L'affaire des layettes pour les accouchées pauvres regarde ma femme.

———

HUGO'S INSTRUCTIONS FOR THE CARE OF THE POOR
Guidelines for Marie Sixty, my cook.
Give bread to all who ask for it.
Do not give money until you have spoken to me about it (money easily becomes gin).
Immediately refer to me all requests for work.
Give work, by preference, to old folk (on tasks that they can manage).
In giving help do not give preference to catholics or protestants. Give to all.
For the vacant places at the meal for the small children, admit the poorest first.
A three pound loaf every week to Virginia's brother, who is consumptive, and give him supper whenever he turns up.
Broth and meat every week to the old fellow (le père Baudoin) who proclaims himself a catholic at the house of l'abbé
Lemenant and a republican here. He's eighty years old.
Pay for cod-liver oil for the scrofulous children who need it (on the doctor's prescription).
5 francs a week to the old woman who says that she is a hundred. (She boasts.) 15 a month to the widow Ledon.
The matter of baby linen for poor women in labour is the business of my wife.

FEEDING THE POOR

The author of 'Les Misérables' *practised charity at Hauteville House:*

Every week poor mothers do me the honour of bringing their children to dine at my house. At first I entertained eight, then fifteen; now I entertain twenty-two. (1) These children dine together; they are all mixed – catholics, protestants, English, French, Irish – with no regard for religion or nationality. I invite them to joy and laughter and I say to them: Be free. They start and finish the meal with thanks to God – a simple prayer, meaningful to their conscience and free of all religious formulae. My wife, my daughter, my sister-in-law, my sons, my servants and I serve them. They eat meat and drink wine, two great necessities for childhood. After that they play and go to school. Catholic priests and protestant ministers mingling with free thinkers and exiled democrats come from time to time to witness this plain meal and I have the impression that no-one is displeased.

(1) Later the number was increased to forty.

LE VOYAGE A SERK

VH trouva beaucoup d'inspiration
pour son roman <<Les Travailleurs de la mer>>
pendant son séjour à Serk, du 26 mai au
10 juin 1859.

27 mai: pluie, travail.

28 mai: vu la Seigneurie et les Autelets.

29 mai: vu le dolmen du Petit Serk.

30 mai: vu le Creux (Harbour).

31 mai: pluie, travail – vu l'arche percée
dans le petit havre voisin de l'auberge.

1 er juin: vu le Creux Terrible – puits
énorme, alvéole d'une tour qu'on aurait
arrachée.

2 juin: vu le Gouliot, les Caves prés le
havre Gosselin – bateau. – Vu la grotte
que j'ai nommée grotte Charles.

3 juin: bateau – vu les Boutiques – revu
les Autelets (de la mer) – revu la grotte
Charles-Hugo à mer haute.

4 juin: revu le Creux – arrivée de MM.
Bellier et Kesler.

5 juin: dimanche – pas moyen d'aller en mer –
le seigneur de l'île, un nommé Collings,
défend aux pêcheurs de promener les gens.

6 juin: visite de MM. Duverdier et Preveraud.
Trip (promenade). Philippe Asplet – tous, y
compris MM. Kesler et Bellier, repartent à
quatre heures.

7 juin: tempête.

8 juin: promenade avec J.J.
du côté de la Coupée.

9 juin: promenade
avec tous – chasse aux champignons.

10 juin: départ à mide ½ – pluie en mer –
arrivée à Guernesey par la pluie battante à 2 h ½.
(Victor Hugo, *Choses vues*).

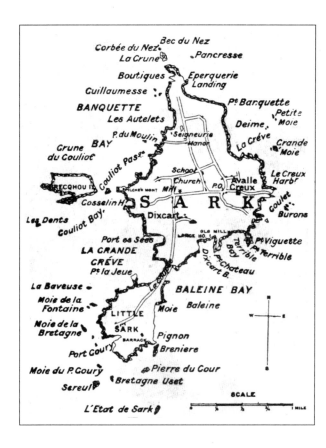

La grotte Charles – "Victor Hugo cave"

50

Les Autelets

THE TRIP TO SARK
The visit to Sark (26 May-10 June 1859) gave Hugo much material for the novel "The Toilers of the Sea".
27 May: rain, work.
28 May: saw the Seigneurie and the Autelets.
29 May: saw the dolmen in Little Sark.
30 May: saw Le Creux.
31 May: rain, work. Saw the pierced arch in the little harbour near the inn.
1 June: saw Le Creux Terrible – an enormous well, socket of an uprooted tower.
2 June: saw the Gouliot, the caves near Gosselin Harbour – boat. – Saw the cave that I named after Charles.
3 June: boat – saw the Boutiques – saw the Autelets again (from the sea) – saw again the Charles Hugo cave at high tide.
4 June: saw Le Creux again – Arrival of Bellier and Kesler.
5 June: Sunday – no way of going to sea – the seigneur of the island, Collings, forbids fishermen taking people on trips.
6 June: visit of Duverdier and Preveraud. Trip. Philippe Asplet – all, including Kesler and Bellier, go back at four o'clock.
7 June: storm.
8 June: walk with Juliette to the Coupée.
9 June: walk with everyone – mushroom hunting.
10 June: left at 12.30 pm – rain at sea – arrived in Guernsey in driving rain at 2.30 pm.

VISITE A SERK: LA PIEUVRE

<<*J'irai peut-être passer quelques jours à Serk pour prendre les notes du futur roman*>> (*VH, lettre à Charles, 14 mai 1859*). Allez à Serk, on vous montrera près de Brecq-Hou le creux de rocher où une pieuvre, il y a quelques années, a saisi, retenu et noyé un pêcheur de homards. Péron et Lamarck se trompent quand ils doutent que le poulpe, n'ayant pas de nageoires, puisse nager. Celui qui écrit ces lignes a vu de ses yeux à Serk, dans la cave dite les Boutiques, une pieuvre poursuivre à la nage un baigneur. Tuée, on la mesura, elle avait quatre pieds anglais d'envergure, et l'on put compter les quatre cents suçoirs. La bête agonisante les poussait hors d'elle convulsivement. (V. Hugo, *Les Travailleurs de la mer.*).

La Pieuvre: C'est le roman de Hugo qui a accrédité en français ce terme emprunté au dialecte anglo-normand. 'C'est au point que le nom jusqu'alors dialectal – originaire des îles anglo-normandes – de <<pieuvre>> dont il se sert, supplante désormais dans le langage courant l'appellation traditionelle de poulpe (de *polypus*).'' (M. Eigeldinger, note dans son édition des *Travailleurs de la mer*, Paris, 1980, citant Roger Caillois, *La Pieuvre*, p. 80).

Des pêcheurs de homards
Lobster catchers

Les Boutiques

Gilliat lutte avec une pieuvre – une image de la nouvelle
édition illustrée des *Travailleurs de la mer* (1882).

Gilliat wrestling with an octopus – a plate from the French
illustrated edition of *The Toilers of the Sea* (1882).

VISIT TO SARK: THE OCTOPUS
"I shall go, perhaps, to spend some days on Sark to make notes for a future novel" (*VH, letter to Charles, 14 May 1859*).

Go to Sark, they'll show you near Brecq-Hou the rock cave where, some years ago, an octopus seized, held and drowned a lobster-catcher. Peron and Lamarck are mistaken when they think that the octopus, having no fins, cannot swim. The writer of these lines saw with his own eyes, on Sark, in a cave called *Les Boutiques*, an octopus swimming in pursuit of a bather. The octopus was killed, measured and was found to have a span of four English feet; the four hundred suckers could be counted. In its death throes the creature pushed them out in convulsions. (V Hugo, *The Toilers of the Sea*).

La Pieuvre: it was Hugo's novel that established in French this word borrowed from the Channel Island patois. "It was at this juncture that the hitherto dialect word (of Channel Islands origin) *pieuvre* which he uses replaced, in contemporary parlance, the traditional term *poulpe* (from *polypus*)."

LA MAISON HANTEE A PLEINMONT

Après son retour de l'île de Serk VH visita une maison hantée à Pleinmont. Cette description, notée dans son carnet, constituerait la base d'un paragraphe du roman <<Les Travailleurs de la mer>>:

La maison visionnée – porte murée, fenêtres du premier étage béantes – fermé aux hommes, ouvert aux spectres – du côté de la mer, fenêtre murée; à chaque pignon une fenêtre murée – tout autour la terre crevassée – bâtie en granit – lieu sinistre – la mer à l'infini – de dehors on voit le mur délabré et le plafond au dessus de la porte portant ceci:

DLM. 1780. PBILC.

j'entrai dans la maison de la Mort.

Cette maison était basse, noire, sans fenêtres, avec un toit plat *(sic)* fait d'une pierre blanche, et une seule porte.

Au-dessus de la porte, on lisait rouges qui flamboyaient): *on loge à la nuit.* (V. Hugo, *Carnet*).

LA « MAISON HANTÉE ».

La maison visionnée environ année 1904
The haunted house *circa* 1904

La maison visionnée – une image de la nouvelle édition
illustrée des *Travailleurs de la mer* (1882),
d'après un dessin de Victor Hugo.
The haunted house – a plate from the French illustrated edition
of *The Toilers of the Sea* (1882), based on
a drawing by Victor Hugo.

HAUNTED HOUSE AT PLEINMONT

Soon after his return from Sark VH visited a haunted house at Pleinmont. The following description from his notebook was the basis for a paragraph in his novel 'The Toilers of the Sea':

Pleinmont, Sunday 19 June [1859]

The haunted house – door walled up, windows on the first storey gaping open – closed to men, open to ghosts, – on the sea-side a walled-up window; at each gable a walled-up window – all around the earth cracked – granite building – sinister place – sea stretching endlessly – from outside you see the dilapidated wall and the ceiling above the doorway bearing the following inscription:

DLM. 1780. PBILC.

I entered the house of Death.

This house was low, dark, windowless, with a flat roof made of white stone, and a single door.

Above the doorway could be read (in flaming red letters): *NIGHT LODGINGS.*

LE NAUFRAGE DU <<NORMANDY>>

Le 17 mars 1870, pendant une tempête, le Normandy *(en voyage de Southampton aux Iles de la Manche) fut heurté par un cargo. Le* Normandy *sombra en vingt minutes. Trente trois personnes furent perdues; trente et une sauvées. Hugo était profondément touché par cette tragédie:*

Dans le steamer *Normandy*, sombré en pleine mer il y a quatre jours, il y a avait un pauvre charpentier avec sa femme; des gens d'ici, de la paroisse Saint-Sauveur. Ils revenaient de Londres, où le mari était allé pour une tumeur qu'il avait au bras. Tout à coup dans la nuit noire, le bateau, coupé en deux, s'enfonce.

Il ne restait plus qu'un canot déjà plein de gens qui allaient casser l'amarre et se sauver. Le mari crie: <<Attendez-nous, nous allons descendre.>> On lui répond du canot: <<Il n'y a plus de place que pour une femme. Que votre femme descende.>>

<< Va, ma femme >> dit le mari.

Et la femme répond: *Nenni. Je n'irai pas. Il n'y a pas de place pour toi. Je mourrons ensemble.* Ce *nenni* est adorable. Cet héroisme qui parle patois serre le coeur ...

Et la pauvre femme a jeté ses bras autour du col de son mari, et tous deux sont morts.

A la suite de cette tragédie VH écrivit cette lettre au rédacteur du Star:

Hauteville-House, 5 avril 1870

Veuillez, je vous prie, m'inscrire dans la souscription pour les familles des marins morts dans le naufrage du *Normandy*, mémorable par l'héroïque conduite du capitaine Harvey.

Et à ce propos, en présence de ces catastrophes navrantes, il importe de rappeler aux riches compagnies, telles que celle du *South-Western*, que la vie humaine est précieuse, que les hommes de mer méritent un sollicitude spéciale, et que, si le *Normandy* avait été pourvu, premièrement, de cloisons étanches, qui eussent localisé la voie d'eau; deuxièmement, de ceintures de sauvetage à la disposition des naufragés; troisièmement, d'appareils Silas, qui illuminent la mer, quelles que soient la nuit et la tempête, et qui permettent de voir clair dans le sinistre; si ces trois conditions de solidité pour lc navire, de sécurité pour les hommes, et d'éclairage de la mer, avaient été remplies, personne probablement n'aurait péri dans le naufrage du *Normandy*. (V. Hugo, *Pendant l'exil*).

Le Normandy.

THE SINKING OF THE *NORMANDY* – SAFETY AT SEA

On 17 March 1870, during a storm, the Normandy *(en route from Southampton to the Channel Islands) was struck by a cargo boat. The* Normandy *sank in twenty minutes. Thirty-three people were lost; thirty-one were saved. Hugo was deeply moved by this tragedy:*

On the steamer the *Normandy*, lost at sea four days ago, there was a poor carpenter with his wife; folk from here, from the parish of St Saviour. They were on their way back from London, whither the husband had gone for a tumour that he had on his arm. Suddenly in the blackness of the night the boat, sliced in two, sinks.

There was just one life-boat left, already full of people who were going to cast off and save themselves. The husband shouts "Wait for us, we are coming down." Back came the reply from the life-boat "There's only room for one woman. Let your wife come down."

"Go, wife" says the husband.

And the wife replies: Nay. I'll not go. There's no room for you. Us'll die together.

That Nay is adorable. That patois-speaking heroism breaks the heart ...

And the poor woman threw her arms around the neck of her husband, and both perished.

Following this tragedy Hugo wrote this letter to the editor of The Star:

Hauteville-House, 5 April 1870

Please enter my name in the subscription for the families of the sailors who died in the shipwreck of the *Normandy*, noteworthy for the courageous conduct of Captain Harvey.

And in connection with this subject and these distressing disasters, rich companies, like the *South Western*, should remember that human life is precious, that sea-faring men deserve special care, and that if the *Normandy* had been equipped, first with water-tight bulkheads that would have contained the water flow; secondly, with lifebelts for the shipwrecked; thirdly, with Silas appliances which light up the sea, whatever the night and the storm, and which give clear vision in disaster; if these three conditions had been met – for the stability of the vessel, the safety of the humans, and for lighting the sea – probably nobody would have died in the sinking of the *Normandy*.

Un naufrage, d'après un dessin de Victor Hugo
Shipwreck, after a drawing by Victor Hugo

LES SAUVETEURS

VH voulait encourager et honorer les sauveteurs. Il écrivit cette lettre aux connétables de St-Pierre-Port:

Hauteville-House, 14 avril 1870

En ce moment de naufrages et de sinistres, il faut encourager les sauveteurs. Chacun, dans la mesure de ce qu'il peut, doit les honorer et les remercier. Dans les ports de mer, le sauvetage est toujours à l'ordre du jour.

J'ai en ma possession une bouée et une ceinture de sauvetage modèles, exécutées spécialement pour moi par l'excellent fabricant Dixon, de Sunderland. M'en servir pour moi-même, cela peut se faire attendre; il me semble meilleur d'en user dès aujourd'hui, en offrant, comme publique marque d'estime, ces engins de conservation de la vie humaine à l'homme de cette île auquel on doit le plus grand nombre de sauvetages.

Vous êtes nécessairement mieux reseignés que moi. Veuillez me le désigner. J'aurai l'honneur de vous remettre immédiatement la ceinture et la bouée pour lui être transmises.

Recevez l'assurance de ma cordialité,

Victor Hugo.

(V. Hugo, *Pendant l'exil, Les sauveteurs*).

Le matériel de sauvetage fut remis au capitaine Abraham Martin qui avait opéré environ quarante-cinq sauvetages dans sa vie.

La ceinture de sauvetage presentée par Victor Hugo
The lifebelt presented by Victor Hugo (Maritime Museum, Castle Cornet).

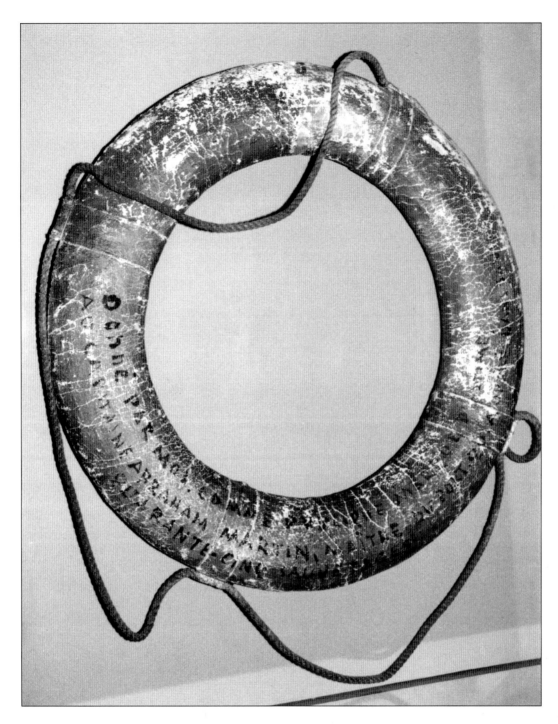

La bouée presentée par Victor Hugo
The lifebuoy presented by Victor Hugo (Maritime Museum,
Castle Cornet).

THE RESCUERS
VH wished to encourage and honour those engaged in rescue work. He wrote this letter to the Constables of St Peter Port:

Hauteville-House, 14 April 1870

At this time of shipwrecks and disasters it is necessary to encourage and honour those engaged in rescue work. Each, to the extent that he can, should honour and thank them. In sea-ports rescue work is always the order of the day.

In my keeping I have a model buoy and life-belt specially made for me by the excellent manufacturer Dixon of Sunderland. To use them for myself – that can wait; it seems better to use them from today, by offering these life-saving devices as a public mark of esteem to the islander responsible for the greatest number of rescues.

You are necessarily better informed than I am. Please identify him to me. I shall have the honour to send you immediately the life-belt and buoy to be passed on to him.

Yours sincerely,

Victor Hugo.

The life-saving equipment was presented to Captain Abraham Martin who had effected some forty-five rescues in his life.

LES DERNIERES ANNEES – L'ART D'ETRE GRAND-PERE
"Le poète, à peine réveillé en sa maison de Hauteville House, quelque matin d'été, note un à un les bruits et les rumeurs ...
C'était donner le modèle d'un procédé souvent imité dans la suite" (M. Levaillant).

LE MATIN – EN DORMANT

J'entends des voix. Lueurs à travers ma paupière.
Une cloche est en branle à l'église Saint-Pierre.
Cris des baigneurs: <<Plus près! plus loin! non, par ici!
Non, par là!>> Les oiseaux gazouillent, Jeanne aussi.
Georges l'appelle. Chant des coqs. Une truelle
Racle un toit. Des chevaux passent dans la ruelle.
Grincement d'une faulx qui coupe le gazon.
Chocs. Rumeurs. Des couvreurs marchent sur la maison.
Bruits du port. Sifflement des machines chauffées.
Musique militaire arrivant par bouffées.
Brouhaha sur le quai. Voix françaises: <<Merci.
Bonjour. Adieu.>> Sans doute il est tard, car voici
Que vient tout près de moi chanter mon rouge-gorge.
Vacarme de marteaux lointains dans une forge.
L'eaux clapote. On entend haleter un steamer.
Une mouche entre. Souffle immense de la mer.
(V. Hugo, *L'Art d'être grand-père, 1877*).

L'église Saint-Pierre
St Peter Port Church

Victor Hugo, Georges et Jeanne

THE LAST YEARS – *The art of being a grandfather.*
"The poet, scarcely awake in his home at Hauteville House, one summer morning, notes sounds and noises one by one ...
This established the pattern for a process often thereafter imitated" (M Levaillant).

MORNING – SLEEPING
I hear voices. Gleams of light across my eyelid.
A bell is tolling at St Peter's church.
Shouts of bathers: "Nearer! Further! No, here!
No, there!" The birds twitter, Jeanne as well.
George calls her. Cock crows. A trowel
Scrapes a roof. Horses pass in the lane.
The swishing of a scythe cutting grass.
Clashes. Confused sounds. Roofers tramp over the house.
Sounds from the harbour. Whistling of hot engines.
Military music coming in snatches.
Uproar on the quay. French voices: "Merci,
Bonjour. Adieu." It must be late, for here
Comes my robin to sing near me.
Din of distant hammers in a smithy.
The water laps. Sound of a steamer puffing.
A fly comes in. The sea's boundless breath.

61

CHRONOLOGIE DES ANNEES 1852-1885 / CHRONOLOGY OF THE YEARS 1852-1885

	Événements/events	Publications principales/principal publications
1852	Arrivée à Jersey	
1853		*Les Châtiments*
1854	Exécution de Tapner	
1855	Arrivée à Guernesey	
1856	Achat d'Hauteville House	*Les Contemplations*
1857		
1858		
1859	Excursion à Serk	*La Légende des siècles*
1860		
1861		
1862		*Les Misérables*
1863		
1864		*William Shakespeare*
1865	+ Emily de Putron	*Les Chansons des rues et des bois*
1866		*Les Travailleurs de la mer*
1867		*La Voix de Guernesey*
1868	+ Mme Hugo	
1869		*L'Homme qui rit*
1870	+ Hennett de Kesler Retour de VH en France	
1871	+ Charles	
1872	Visite à Guernesey	
1873	+ François-Victor	
1874		*Quatrevingt-treize*
1875	Visite à Guernesey	
1876		
1877		*L'Art d'être grand-père*
1878	Visite à Guernesey	
1879		
1880		
1881		
1882		
1883	+ Juliette Drouet	*L'Archipel de la Manche*
1884		
1885	+ Victor Hugo	

+ mort / death

LES MOIS PASSES A GUERNESEY - MONTHS SPENT IN GUERNSEY

	Victor Hugo	Mme Hugo	
1855	• •	• •	
1856	• • • • • • • • • •	• • • • • • • • • •	
1857	• • • • • • • • • •	• • • • • • • • • •	**Clef / Key**
1858	• • • • • • • • • •	DAAAR • • • • • •	• = à Guernesey / in Guernsey
1859	• • • • • • • • • •	• • • •DAAAR • • •	A = absent de Guernesey
1860	• • • • • • • • • •	•DR • • • • • • • •	D = départ de Guernesey
1861	• •DAAAAAR • • •	• •DAAAAAAAAR	R = retour à Guernesey
1862	• • • • • •DAR • • •	• •DAAR • • • • •	X = Retour et départ
1863	• • • • • • •DAR • •	• •DAAAXAAAAA	+ = mort / death
1864	• • • • • • •DAR • •	AAAAAAAAAAR •	
1865	• • • • •DAAAR • •	DAAAAAAAAAAA	
1866	• • • • •DAAAR • •	AAAAAAAAAAAA	
1867	• • • • • •DAAR • •	R •DAAAAAAAAA	
1868	• • • • • •DAAR • •	AAAAAAA+	
1869	• • • • • • •DAAR •		
1870	• • • • • • •DAAAA		

JERSEY

Rocher des Proscrits:

Des photographies montrent Hugo assis au sommet de ce rocher immense situé au Dicq, côte toute proche de sa demeure à Marine Terrace. Malheureusement la maison n'existe plus. Cependant le rocher porte une plaque en granit qui commémore le nom de Hugo et les dates de son séjour dans l'île.

Havre des Pas / Grève d'Azette:

Quoique la demeure de la famille Hugo à Marine Terrace n'existe plus, ce quartier où habitaient les Hugo pendant trois années d'exil est encore assez agréable pour les promenades. Juliette Drouet habitait un appartement dans l'immeuble situé juste derrière l'endroit où se trouvait le chantier de construction navale Allix.

Macpela:

Le cimetière des indépendants dans la paroisse de St.-Jean (près de la paroissse de St-Hélier). Ici, aux funérailles du proscrit Jean Bousquet, Hugo prononça devant une foule de quatre cents indépendants et spectateurs une oraison passionnée, attaquant Napoléon et l'église catholique et décrivant les souffrances dues à l'exil.

Les baies et les monuments préhistoriques:

Hugo et sa famille visitèrent beaucoup de baies et de dolmens préhistoriques pendant leurs premiers mois d'exil.

St-Hélier:

Collections du Musée et de la Société Jersiaise – au musée se trouvent deux petites aquarelles (vues de paysage) peintes par Victor Hugo – pour les voir, veuillez prendre rendez-vous avec The Curator of Art, Jersey Museums Service. Des livres et des articles au sujet de Hugo peuvent être consultés à bibliothèque de la Société Jersiaise, 7 Pier Road, St Hélier, Jersey (ouverte du lundi au samedi, 9h30 à 16h30.), Tel.: (01534) 30 538.

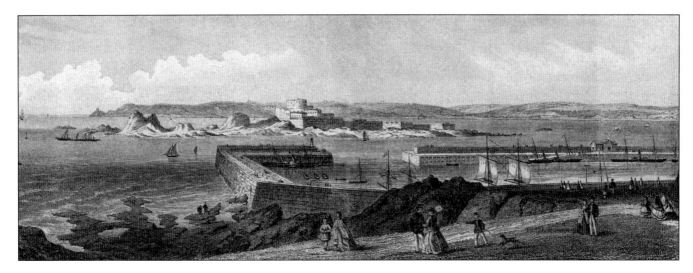

Elizabeth Castle, Jersey

JERSEY

Rock of the Prescribed: Photographs show Hugo sitting on top of this large rock at Le Dicq, close to his home at Marine Terrace. Sadly the house no longer exists. However, the rock has a granite plaque commemorating the name of Hugo and the dates of his stay in the island.

Havre des Pas / Grève d'Azette: Although the home of the Hugo family no longer survives at Marine Terrace, this neighbourhood where the Hugos spent three years of exile is still a pleasant place for walks. Juliette Drouet lived in an apartment in the buildings just behind the area where the Allix shipyard stood.

Macpela: The cemetery of the Independents in the parish of St. John's (near St. Helier). Here, at the funeral of the exile Jean Bousquet and in front of a crowd of four hundred Independents and spectators, Hugo delivered a passionate speech in which he attacked Napoleon and the catholic church and described the torments of exile.

Bays and prehistoric monuments: Hugo and his family visited many bays and prehistoric chamber tombs during the early months of their exile.

St. Helier: Collections of the Museum and the Société Jersiaise: At the museum (St. Helier) there are two small watercolours (landscapes) painted by Victor Hugo. To view them, make an appointment with the Curator of Art, Jersey Museums Service. Photographic portraits of Hugo – to view, make an appointment with The Assistant Curator, Jersey Museums Service. Books and articles about Hugo can be consulted in the library of the Société Jersiaise, 7 Pier Road, St. Helier, Jersey (open Monday - Saturday, 9.30 a.m. - 4.30 p.m.), Tel.: 01534-30538.

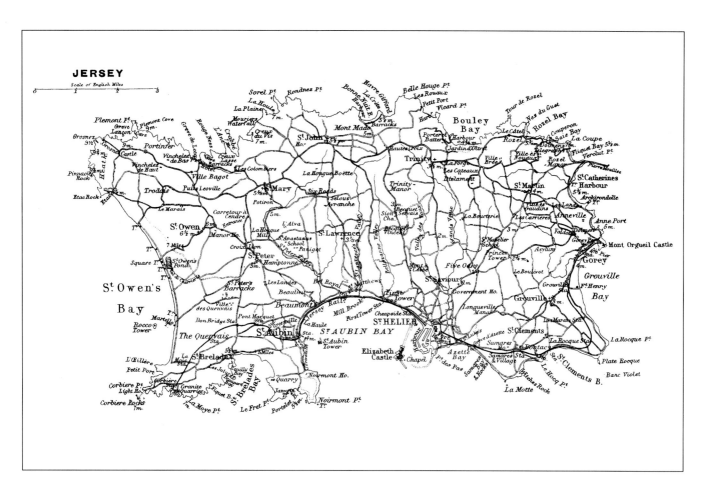

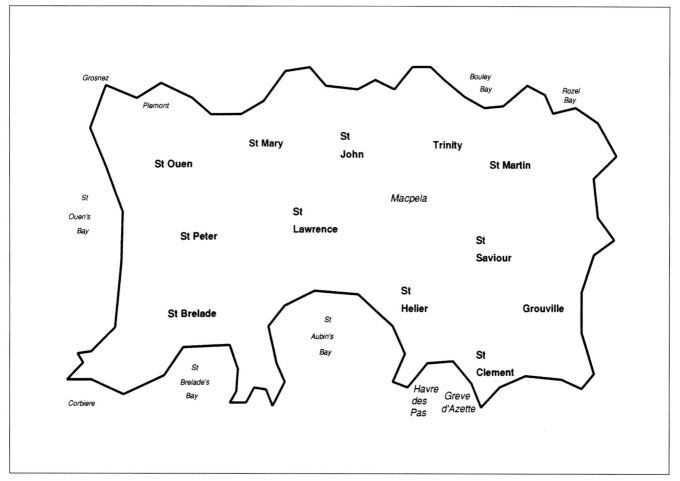

GUERNESEY.
ST.-PETER-PORT.

L'Hôtel de l'Europe n'existe plus; aujourd'hui
Woolworths se trouve à cet endroit. **Le n° 20
d'Hauteville Street** (le logis de Hugo et de sa famille,
1855-1856, et la demeure de Juliette Drouet à partir de
1864) est maintenant une maison privée.

Hauteville-House (le no 38 d'Hauteville Street) est
ouverte du 1er avril au 30 septembre sauf le dimanche
et les jours fériés locaux. Tél Guernesey 72 19 11

La Fallue (demeure de Juliette Drouet) est aujourd'hui
une maison privée; on peut voir facilement l'extérieur
de la maison.

Havelet: Hugo se baignait souvent à Havelet Bay.
De Havelet on peut prendre la route vers Fermain Bay
(par le Val des Terres); on passe, sur la gauche, devant
Fort George, jadis garnison importante. Fermain Bay
était l'un des endroits préférés du poète.

La ville de St-Peter-Port:
Hugo fait allusion à plusieurs bâtiments de la
ville dans son essai sur Tapner (*Choses vues*),
principalement à la prison qui n'existe plus.

Victoria Tower: Hugo écrivit les premières strophes
de *La Chanson des oiseaux* ici en avril 1860.

Candie Gardens: une statue de Hugo se trouve près
du musée. Elle fut inaugurée le 7 juillet 1914.

Candie Museum: le musée possède deux bustes de
Victor Hugo et d'autres objets hugoliens.

Castle Cornet, Maritime Museum: la bouée et la
ceinture de sauvetage presentées par Victor Hugo font
partie de l'exposition.

Elizabeth College: Paul Stapfer, professeur de français
enseigna à ce lycée (public school) pendant plusieurs
années. Il rendait souvent visite à Hugo et écrivit un
livre biographique <<Victor Hugo à Guernesey>>
– témoignage de grande valeur, selon H. Juin.

Foulon Cemetery: ici on voit encore les pierres tombales
d'Hennett de Kesler et d'Emily de Putron.

61 GUERNSEY. — Candie Park
Statue de Victor Hugo (Jean Boucher, sculpteur). — LL.

GUERNSEY
St PETER PORT

L'Hôtel de l'Europe no longer survives; today Woolworths stands on the site. **No. 20 Hauteville Street** (the home of Hugo and his family, 1855-1856, and the home of Juliette Drouet from 1864) is now a private house.

Hauteville House (No. 38 Hauteville Street) is open during the summer months. Tel: 01481-721911.

La Fallue (the home of Juliette Drouet until 1864): today a private house; the outside of the house can be viewed.

Havelet: Hugo often swam in Havelet Bay. From Havelet you can go via the Val des Terres to Fermain Bay. You pass Fort George (to the left); formerly this was an important garrison. Fermain Bay was a favourite spot of the poet.

The town of St. Peter Port: Hugo refers to several buildings in his essay about Tapner (*Choses vues*), principally the prison (recently demolished by the States of Guernsey).

Victoria Tower: Hugo wrote the opening lines of *La Chanson des oiseaux* here in April 1860.

Candie Gardens: a statue to Hugo stands near the museum. The statue was unveiled 7 July 1914.

Candie Museum: the museum possesses two busts of Victor Hugo and some other memorabilia.

Castle Cornet, Maritime Museum: the lifebelt and safety buoy presented by Hugo in 1870 are on display here.

Elizabeth College: Paul Stapfer, a French teacher, taught at this public school for several years. He often visited Hugo and wrote a biographical study (*Victor Hugo à Guernesey*), a work described by the Hugo scholar H. Juin as being of great value.

Foulon Cemetery: here can be seen the tombs of Hennett de Kesler and of Emily de Putron.

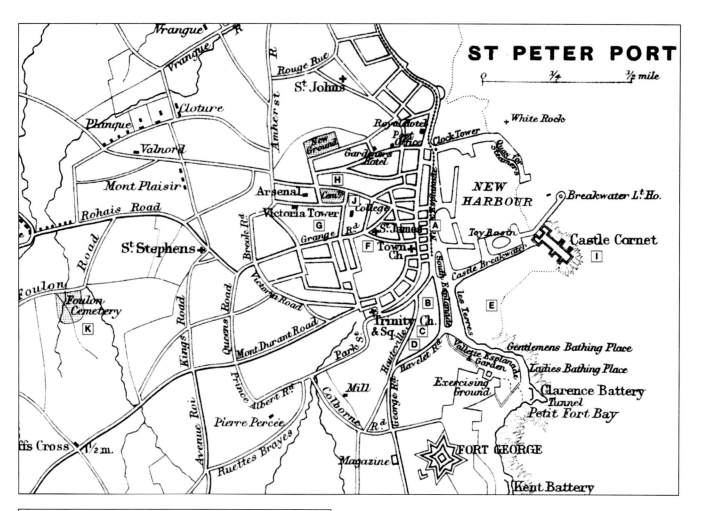

ST PETER PORT

La clé / Key

A   L'Hôtel de l'Europe (Woolworths)

B   No. 20, Hauteville Stret

C   Hauteville House

D   La Fallue

E   Havelet

F   Prison

G   Victoria Tower

H   Candie Gardens, Candie Museum

I   Castle Cornet, Maritime Museum

J   Elizabeth College

K   Foulon Cemetery

Victoria Tower, Guernsey.

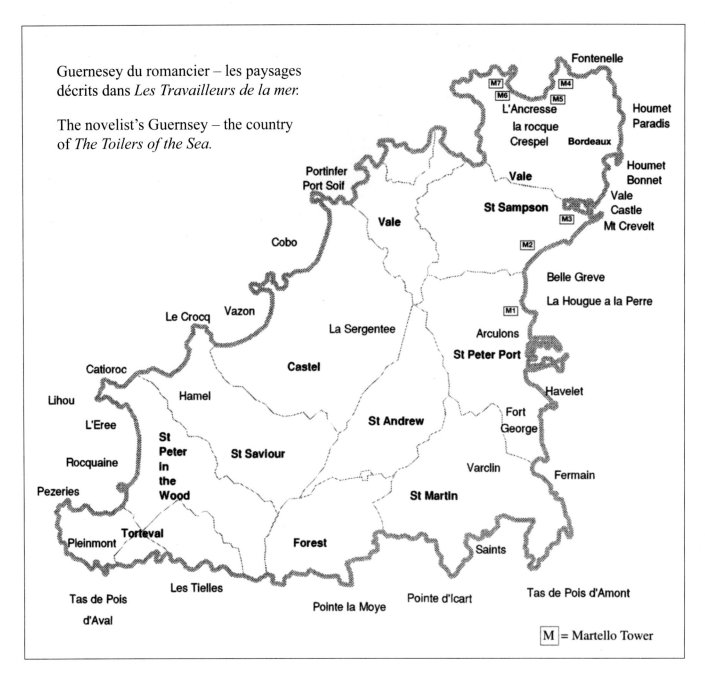

Guernesey du romancier – les paysages décrits dans *Les Travailleurs de la mer*.

The novelist's Guernsey – the country of *The Toilers of the Sea*.

M = Martello Tower

Références dans *Les Travailleurs de la mer*:
St SAMPSON'S: Hugo fait allusion à plusieurs bâtiments de St Sampson's, principalement l'église, le port et le château du Vale. Le Houmet Paradis existe toujours mais on n'y trouve pas La chaise Gild-Holm-'Ur, invention poétique.
CÔTE SUD DE L'ILE: Hugo fait allusion, en particulier, à une maison visionnée à Pleinmont. La maison fut détruite par les Allemands en 1940 mais on voit encore les soubassements. VH fait allusion aussi à Torteval Church (le clocher 'est rond et pointu et qui ressemble à un bonnet de magicien') et à la pointe de la Moye.

References in *The Toilers of the Sea*:
St SAMPSON'S: Hugo refers to several buildings at St Sampson's, principally the church, the port and Vale Castle. Houmet Paradis still exists but you will not find the seat *Gild-Holm-'Ur*, a poetic invention.
THE SOUTH COAST OF THE ISLAND: Hugo refers in particular to a haunted house at Pleinmont. The house was destroyed by the Germans in 1940 but you can still see the foundations. VH also refers to Torteval Church (the steeple "is round and pointed and resembles a wizard's hat") and to Moye point.

Les Travailleurs de la mer / The Toilers of the Sea
Editions françaises:
– Edition présentée, établie et annotée par Yves Gohin, Gallimard, 1980.
– Edition présentée par M. Eigeldinger, Garnier – Flammarion, 1980.
English edition:
– *The Toilers of the Sea*, jointly published by Alan Sutton and Guernsey Press, 1990.

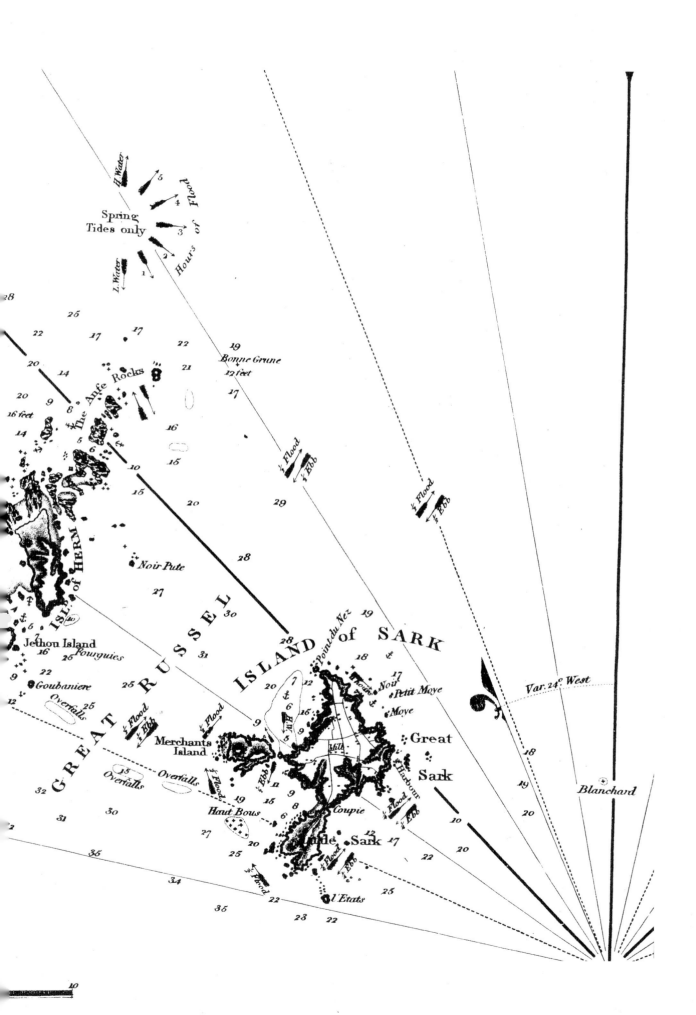

28

25

22   17   17

20   14

20   9   8

16 feet

14   5

The Anse Rocks

*Spring
Tides only*

H.Water 5

4

L.Water 3

1   2   *Hours of Flood*

22   22

19

Bonne Grune
12 feet

21

17

16

16

16

10

15

20   29

¾ Flood
⅓ Ebb

28

Noir Pute

27

Flood
Ebb

ISLE of HERM

6   30

7

Jethou Island
16   25   *Fouquies*

31

9   22

Goubaniere   25

12   *Overfalls*   25

18
Overfalls

32

31   30

35

34

35

28   22

2

G R E A T   R U S S E L

ISLAND of SARK

Point du Nez 19

28

18

20   7   12   *Nou*   *Noir*

6   16   *Petit Moye*

9   *Moye*

¾ Flood
⅓ Ebb

*Merchants
Island*

Ebb   11

9   15   9

19   8   6   *Coupie*

Haut Bous

27   20

25

Flood

22

l'Etats

Flood
Ebb

Great

Harbour

Sark

Flood
Ebb

Little Sark 17

12

Flood
Ebb

25

10

22   20

18

19

20

Var. 24° West

Blanchard

10

ISBN 978-0-85694-604-2